はじめに

小説、漫画、アニメ、ゲーム、実写ドラマ、演劇。これら多種多様なエンターテインメントに共通するのは「物語である」ということだ。

その物語はテーマ、コンセプト、ストーリー、キャラクター、世界設定（舞台設定）といろいろな要素で構成されるが、元をたどればすべてはアイデアだ。物語全体をどんなものにするかから、ディティールをどのように彩るか、あるいは作中には出てこないが主人公たちの行動を左右する背景設定まで、アイデアのあり方は千差万別である。

良い作品を作りたいと思うならば、まずは良いアイデアを作り出さなければならない——しかし、それが非常に難しい。

この「アイデアが思いつかない」という難問に苦しんでいるクリエイター志望者は相当数いるようだ。榎本事務所ではたびたび講演会やワークショップを行い、また事務所メンバーが講師としていくつかの専門学校で授業を担当する中で、生徒さんたちとも随分触れ合ってきた。

彼らの多くが、

・良いアイデアが出ない
・アイデアの取っ掛かりにはたどり着いたけれど、そこから先どうしたらいいのか分からない
・いろいろなアイデアは思いついたが物語の形にまとめられない

といったような悩みを持っていた。

クリエイター志望者ともあれば、アイデアなど湧き出る泉のように持っているのが当たり前だと思うかもしれない。ところが実際にはそうそううまくいかない。作品を一つ二つと作ってみるともうネタが枯れてしまう。昔から大事に育ててきたアイデア以外は何も思いつかない、あるいはそのアイデアを実現するためのサブアイデアの手持ちがない。そんなことがよくあるのだ。

そこで、榎本事務所の授業においてはいろいろな発想法を導入してきた。それはブレインストーミングのような既存のビジネスマン向け発想法をベースにしたものもあるし、起承転結や三題噺のようなエンターテインメントにおける発想訓練の定番もあるし、まったくのオリジナルなものもある。これらの発想法は少なくないクリエイター志望者の悩みを解決する効果があったものと自負している。

本書は榎本事務所が提唱する創作法——榎本メソッドの中から特に「発想」「物語を取りまとめ、形にする」ためのテクニック・ノウハウを紹介するものだ。その上で実際に授業で活用してきたものを中心に、バラエティ豊かな発想法を実践できるよう、その実践法とコピーして使えるシートを収録した。榎本事務所の本では小説（特にライトノベル）創作のためのテクニックを紹介することが多いが、本書はそれだけにとどまらず、あらゆるエンターテインメント、あらゆる物語に活用できるよう心を配ったため、大いに役立つはずだ。

（本書は秀和システムさまから刊行した『ストーリー創作のためのアイデア・コンセプトの考え方』の再刊行版になります）

榎本秋

TOPIC

この本の使い方

発想用シートの数々

本書はさまざまなエンターテインメントジャンルにおいて必要とされる「魅力的なアイデアを発想し、またそれを物語の形に取りまとめるためのテクニック」を紹介した本である。興味の持てそうなページから開いてみてほしい。

しかし、テクニックだけでは実践の役に立ちにくいため、練習できるように、また実際に物語を作る際にも使えるようにいくつかシートを用意した。各シートのページ数と簡単な紹介を列挙したので、確認してほしい。面白そうなものはあるだろうか。

本書をじっくり読んだ上で「このシートが自分には役に立つな」と考えて行うのでもいいし、左ページのリストから「これが面白い」と選ぶのでもいい。大事なのは自分にとって一番ふさわしいものを、なるべくたくさん経験することなのである。

シートを使った発想の実践

実際にはどうしたらいいのか。

各シートをコピーして直接書き込むことを第一に想定している。シートそのものも、書き込むのに適したように作ったつもりだ。

きれいな字で書こうなどと考えなくていい。自分のイメージを叩きつけるように好きに書いてほしい。また、各要素についても書けるところから書きたいように書いていい。手で文字を書くことは脳に刺激を与えるし、情報が目の前で形をなすこともまた発想のためにいい刺激だからだ。ただ、パソコンなどで独自に書き込んだほうが都合がいいなら、それでかまわない。

また本書の最後には「アイデアジェネレーター」と称して、コピーして切り離して使えるカードを用意した。発想のきっかけが欲しくなった場合はカードを引き、書いてある内容について考えてみよう。

この本の使い方

面白そうなシートからやってみよう！

この本の使い方

Chapter 01

発想法のために
おさえておくべき基本

　発想する＝アイデアを出すとはどういうことか。そのためには何が必要なのか。

　そして、物語を創作する根幹となる「コンセプト」「テーマ」とはいったいなんなのか。

　魅力的な物語を作り上げるための、基本をご紹介する。

TOPIC

アイデア発想の根幹とメモ

アイデアはいつどんな時に？

アイデアを考える時どんなやり方をするか、どんなシチュエーションを最適と考えるかは人それぞれだ。

「お風呂に入ったり、布団の上だったり、アロマテラピーやってたりして、リラックスして身体や頭の力が抜けた時に、いいアイデアが出るよ」

「本を読んだり、ネットサーフィンしてたりと、情報に接触してる時が一番ヒラメキが降ってきやすいかな」

「別の作品を楽しんでる時やその感想を考えている時にイメージが湧く気がする」

「ランニングとかウォーキングとかスイミングとか、とにかく身体を動かしている時にいろいろなことが思いつくよ」

「集中して考える場所はだいたい決まっているかな。静かで自然のあるところがいい」

「むしろ人の声が適度にしてザワザワしているほうが、逆に周りが気にならなくて深く考え込むことができるかなあ」

「誰かと会話しながら考える時にいいアイデアが浮かぶんだ」

このどれがいいとか悪いとか、そういう話ではない。皆それぞれ、自分に適したやり方を選べば良い。……ただ一つ、発想する際にぜひやってほしいことがある。それ次第では列挙したやり方の中にはちょっと改善したり工夫したりしたほうが良いものがあるかもしれない。

具体的に、どういうことか。それは、

「思いついたことは必ずメモを取る」
「可能であれば書きながら発想する」

ということだ。

きれいに書く必要はない。むしろ、書き方にこだわったり、色とりどりの文字にしようなどと肩に力が入ると、三日坊主で終わりやすい。自分さえ読めれば良い（たまに自分さえ読めない文字を書く人がいるので、それだけは注意）。

何のためにメモを取るのか。

一つには、頭で考えたり、口に出して発想したりで終わらせず、形にして残せるようにする、ということである。人間は非常に忘れやすい生き物なので、どんなに面倒でも形には残したほうがいい。せっかく出てきたアイデアを「いつか書こう」と思ったまま忘れてしまった、では悲しすぎる。

もう一つは、書くことで頭を刺激する（だから紙のメモに手書きすることには小さくない意味がある）し、目で見ることでまた刺激になるのだ。

メモを活用せよ

浮かび上がってきた思いつき（アイデア）をどんな媒体にメモするかも、あなたが自由にやっていいところだ。脳への刺激を重視するなら手書きをおすすめしたいが、物理的なメモ帳を持ち運ぶのが現実的でないと考える人もいるだろう。

例えば、次のようなケースがよく見られる。

・大きなサイズのノート（いわゆる「大学ノート」）

机に座って落ち着いて考えをまとめたい人向け。広い紙面を大きく使ってアイデアを書き込み、それぞれを矢印で結ぶなど、グラフィカルにすると良い。

・メモ帳サイズのノート、あるいは手帳（システム手帳）

出先、移動中など、大きなノートを広げにくいところでも考えたい人向け。携帯性が高いため、アイデアをまとめる時だけでなく、思いつきや後に役立ちそうなことのメモとしても使うと良い。

・パソコン

何しろ現代は小説原稿やその他エンターテインメントの脚本どころか、漫画やアニメさえもパソコンで作ってしまおうというご時世である。当然、アイデアの発想・整理をパソコンでやる人は多い。持ち歩きや取り回しにこそある程度は難があるにしても、アイデアを保存し、整理し、加工するのに最も向いた媒体であると言っていいだろう。エクセルのような表計算ソフトが特に便利である。

・スマートフォン、タブレットPC、携帯電話

今はこれを使っている人が一番多いのではないか。だいたい身の回りにあるし、メールやクラウド機能を使えば簡単にパソコン上でデータを共有できる。若い世代には、手で書くよりも、あるいはパソコンのキーボードよりもスマホのフリック入力のほうが得意という人さえいるだろう。各種アプリも充実していて、手書き入力さえできる。

・ICレコーダー他、録音機能のあるデバイス

仕事などでICレコーダーを使っている人はそんなに多くないかもしれないが、たいていのスマートフォンには録音機能がついている。口で喋ったほうが自分の考えを表に出しやすいという人は、「吹き込む」という選択肢もアリだろう。一頃から比べると音声認識システムの精度も上がってきているので、テキストの形で保存することもそこまで難しくない。

媒体ごとに価格も取り回しやすさも大きく違うので、自分の事情に合わせて選択してほしい。

何よりも大事なのは「飽きずに続けられるやり方を選ぶ」ことだ。途中で嫌気が差すようでは意味がない（特に、普段の情報収集や人間観察などのメモ用にも使用する場合は、メモをする習慣を定着させたい）。

普段の仕事で使っている媒体があるなら新しいことをやるよりは創作と兼用にしてしまったほうがいいかもしれない。ただし、職場の仲間にバレたり、仕事に身が入らなくなったりする可能性に注意しよう。

また、「思いつきをメモするくらいならなんとでもなるけど、定期的に整理するなんて無理だよ」という人もいるかもしれない。その場合は整理を諦めるのも一つの手だ。スマートフォンやパソコンの機能には「検索」がある。日付やキーワードだけは意識して書き込むようにして、のちのち必要になったら検索できるようにしておくのである。きれいに整理するよりは欲しい情報が見つけにくく、後で苦労することもあるかもしれないが、それでも三日坊主よりはマシだ。

これらを組み合わせて使うこともできる。今最も現実的なのは、

発想とメモ帳

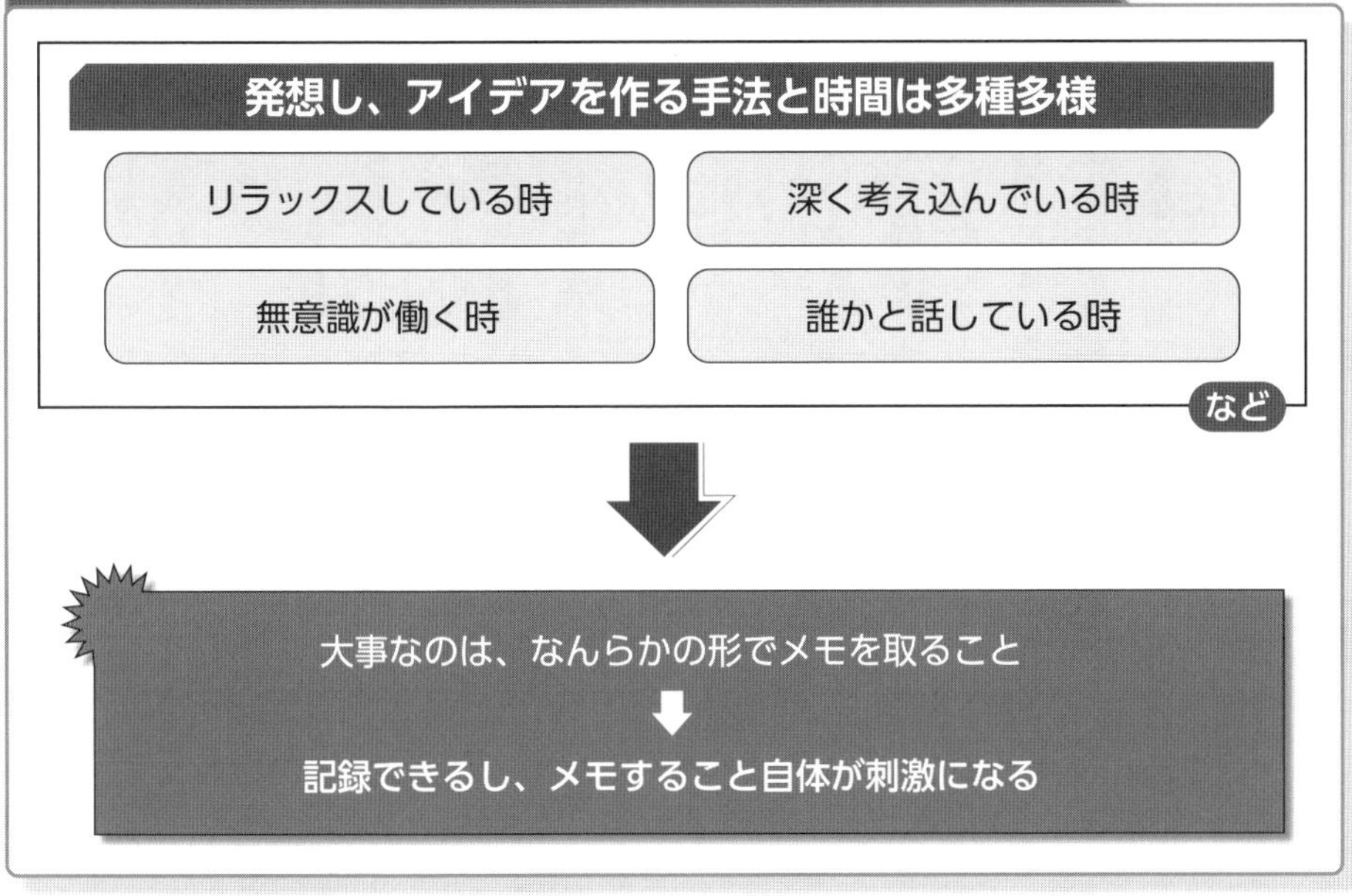
発想し、アイデアを作る手法と時間は多種多様
リラックスしている時
深く考え込んでいる時
無意識が働く時
誰かと話している時
など
大事なのは、なんらかの形でメモを取ること
記録できるし、メモすること自体が刺激になる

①スマートフォンのメモアプリを使ってメモをする
②クラウド機能で自宅のパソコンと共有
③ある程度溜まったら表計算ソフトで整理。日付やアイデアのジャンルごとにソートできるようにする

あたりだろうか。

もちろん、あなたにデジタルデバイスについての知識があるなら、もっと別の手段を使うこともできる。ビジネス用のアプリやソフトウェアが役に立つことも多いだろう。あるいは技術革新があって、もっと簡単にメモや作品を作れる日が来るかもしれない――実際、「考えるだけで文字入力ができるデバイス」は既に現実化したテクノロジーである。

いつどんな時に発想しようとするかは自由だ。ただ、その発想をなんらかの形で残すことだけは忘れないでほしいのである。

アイデアへの正しい姿勢

発想を助けるやり方は、「自分にとっていい環境に身を置く」「メモを取る」だけではない。

発想を阻害するシチュエーションや邪魔になる考え

方にとらわれないように心がけると、発想の大きな助けになるはずだ。アイデア発想には遠回りが必要なこともあるが、やはり少ないほうがいい。

では、どのような状況や考え方が発想を邪魔するのだろうか。これは大きく分けると二つの傾向がある。次のようなものだ。

①アイデアへの姿勢が誤っている
②精神的な問題を抱えている

まずは①の傾向から見てみよう。

- **一つのアイデアにこだわりすぎる**
- **最初のコンセプトやテーマを見失う**
- **客観的に考えることができない**
- **五感を活用せず、ひたすら頭だけで考える**
- **隠された要素、間接的な関係を見逃す**
- **原因と結果を混同する（因果関係が分からない）**

これらをまとめると、

「論理的にものを考えることができない」
「ものを正しく認識・把握することができない」

ということだ。

こちらのパターンについては、本書で紹介しているさまざまなものの見方、情報とアイデアの整理法が役に立つことであろう。逆にいえば、テクニックさえあれば十分に解決できる問題だ。

心の問題に向き合う

もっと別の問題もある。それが②の傾向だ。

- **失敗を恐れる**
- **恥を恐れる**
- **他人に責められるのを恐れる**
- **最初の印象を書き換えられない**
- **柔軟に視点や考え方を変えられない**
- **すぐに結果を求めようとし、過程を考えられない**
- **他人に答えを教えてもらって解決しようとする**
- **遠回りや無駄を必要以上に恐れる**
- **挑戦ができない**

つまり、

「精神的な問題によって正しく判断・行動できない」パターンである。

ただこれらは、クリエイター志望者の心理としてはもしかしたら意外かもしれない。

何しろ、プロではない、アマチュアだ。失うものなどない立場、恥をかいても大したことはないポジションである。どんどん失敗を繰り返し、過程を糧にし、成長していけばいい。守りに入るのはプロとして自分の作品が世に出てお金を稼ぐようになってからでいい——と大人、あるいは傍で見守っている人間は思う。

ところが、クリエイター志望者当人は、なかなかそのようには考えられないものだ。自分が果たして成功できるものかどうか、自信がない。口では「できる」といいつつも、内心は不安ではちきれそうだ。一つの失敗が自分の道を閉ざすかもしれない、誰かに見放されるかもしれない、と思っている。あるいはちょっと責められた瞬間に抑え込んでいる不安が解き放たれて、すっかりやる気を失ってしまう。

だから、何かしらの課題が迫った時に、「どんな解決法を選べばいいのか」「自分には何ができるか」という思考法にはなりにくい。「答えを教えてくれ」となる。

なんとなれば、「Aですか、Bですか、Cですか、それとも……」と総当たりで答えを聞いて、相手の顔色を見て判断しようという小狡い考えさえ頭に浮かんでしまう。これでいい発想が出ようはずもない。

榎本事務所のメンバーの一人が、専門学校の生徒さんたちに、しばしば話すことがある。「あなたは自分の作品を自分で作り上げなければいけない。私はいろいろなテクニックを教え、アイデアについてヒントを出すことはできるけれど、二人羽織で作品を書いてあげるわけにはいかない」だ。

これはどちらかというと実際の執筆作業について言う時に出ることが多いのだが、アイデアでも話は同じだ。経験上、「このアイデアを取り込めば絶対にいい作品になる」と思ってアドバイスをしても、うまくいかないことが多い。作家志望者自身の中から出てきたアイデアでなければ面白くはならないのである。答えを求めてカンニングしても、意味がないのだ。

TOPIC

好奇心と興味

好奇心——面白がる心、興味を持つ心

良い発想を導き出すための発想法、あるいは発想技術の根幹にあるのは「好奇心」だ。「面白がる心」「興味を持つ心」と言ってもいい。

「あ、これ面白いな」

「ここどうなっているんだろう」

そう感じる心がなければ何も始まらない。

分かりにくいかもしれない。もうちょっと広げてみよう。発想という心の動きには、大きく分けて二つのプロセスがある。つまり、

①インプット

②アウトプット

である。インプットとは自分の中にアイデアを取り込むこと、アウトプットは自分の外に（新しい、自分なりの）アイデアを作り出すことだ。

発想という言葉から多くの人がイメージするのはおそらく後者、アウトプットのほうだけに違いない。しかし実際にはインプットも同じくらい、あるいはそれ以上に重要だ。

人間は無からアイデアを作ることはできない。まったくのゼロから考えたつもりでいても、実は「元」がある。

例えば、自分自身が経験したことはもちろんのこと、噂で聞いた話や他人の体験談、マスメディアやSNSで目にし耳にした情報、さらには小説や漫画、映画などで見た知識やエピソードなどもここには含まれる。

これらフィクションもノンフィクションも入り混じった情報があなたの頭の中で混じり合い、ある時なんらかのきっかけを得て、

「こんな話は面白いんじゃないかな？」

とアウトプットされるのである。

発想と好奇心

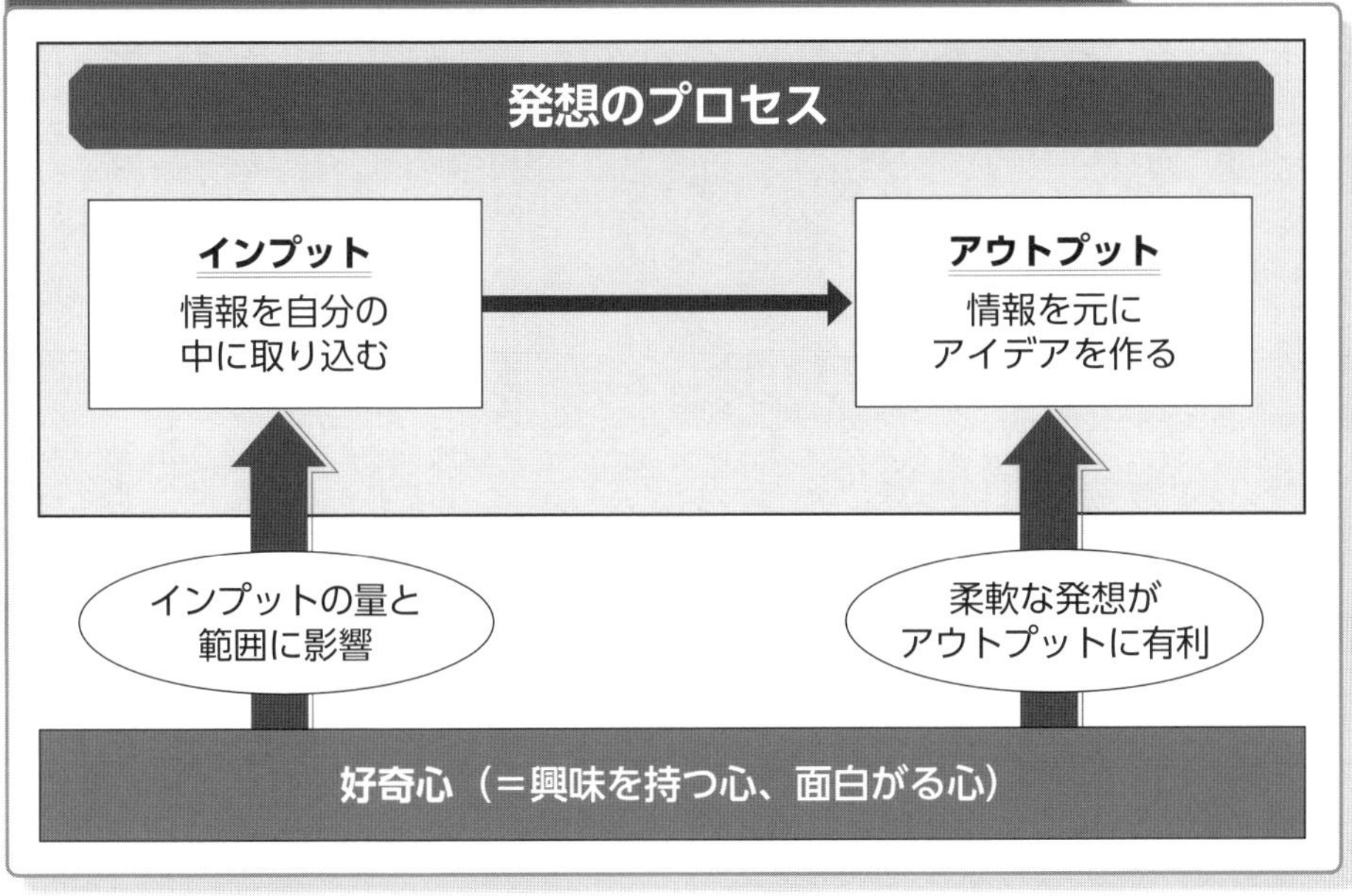
発想のプロセス
インプット
情報を自分の
中に取り込む
アウトプット
情報を元に
アイデアを作る
インプットの量と
範囲に影響
柔軟な発想が
アウトプットに有利
好奇心（＝興味を持つ心、面白がる心）

好奇心とインプット、アウトプット

このインプットとアウトプットの両方で役に立つのが好奇心だ。

インプットのほうは言うまでもない。より多くの情報と接するのに「平常心でいいよ」などと言っていられるはずもない。貪欲に、好奇心を持って、どんどん新しいことに挑戦する必要がある。

例えばこんなことに挑戦すると良いのではないかな、という例をいくつか挙げてみよう。

- **普段とは違う道、違うルートで学校や会社に行く**
- **家や最寄駅の近くにあるが入ったことのない施設に入ってみる**
- **普段触れていないジャンルのエンタメに接してみる**
- **旅行でいつもとは違う場所に身を置き、違う風景、違う雰囲気に触れる**
- **それまでやったことのない趣味や教養などに挑戦してみる**

もちろん、何も感じないかもしれない。しかし、何かを感じるかもしれない。最低でも「なるほど、こういう世界があるんだな」「自分がここまでいた場所だけが世界ではないんだな」と視野が広がる。広がった視野、柔軟になった価値観が、いつかどこかであなたに新しいアイデアを与えてくれるかもしれない。

一方、アウトプットのほうはどうか。アイデアを思い出し、組み合わせるのにあたっても好奇心は大いに役に立つ。

良い物語を作り上げるためには、柔軟な発想がいる。

「最初こう考えていたけど、でもキャラクター（あるいはストーリー）の目的を達成するためには本当はこっちのほうがいいんじゃないかな？」

「この二つのアイデアの組み合わせは一見するとゲテモノみたいだけど、やってみたらうまくいくかもしれないぞ」

「このアイデアはやっちゃいけないとよく言うけど、でもやってみたら面白いかも」

こういう発想が常にうまくいくとは限らない。しかし挑戦してみなければ分からない、ということは確かにある。その時に、「面白くなるかも」「やってみなければ分からない」という強い好奇心、未知のことを面白がる心があるかないかで、大きな違いが出るのだ。

クリエイターと好奇心

クリエイターが好奇心を持つ、興味を持ち続けるということの意味について、もうちょっと掘り下げてみたい。

漫画の神様・手塚治虫は多作多彩の人としても知られる。代表作だけ取り上げても『鉄腕アトム』『リボンの騎士』『ジャングル大帝』『ブラック・ジャック』『火の鳥』……SFありファンタジーあり現代ものあり歴史大作あり、少年向けあり少女向けあり大人向けあり、シリアスありコミカルありと、あらゆるジャンルを網羅しようとせんばかりだ（とはいえ、さすがの神様もスポ根と劇画には手が出せなかったらしいのだが）。

彼はどうしてこのように多才でいられたのか。医者だったということで、知識を身につけ、情報を得ることに慣れていたのかもしれない。必要な資料が本棚のどの位置に入っているか暗記していたというすさまじい記憶力のおかげもあるだろう。

だが、それだけではなかったはずだ。手塚の多才のヒントになるかもしれない言葉を、藤子不二雄Aの自伝漫画『まんが道』の五巻四九三ページ（小学館クリエイティブ）に見つけることができた。

作中で、手塚治虫は若き日の藤子不二雄の二人をモデルにしたキャラクターたちにこう語りかける。

「ただひとつ気をつけなければいけないのはかならず自分の描きたいものを描くということだよ！」

「描きたいものを描いているうちはどんなに仕事がキビシクてもやりとおすことができる！」

「しかし描きたくないものをムリして描くとイヤ気がさして作品に熱中できない！」

「ぼくが夜もねないでこんなにまんがばかり描いていられるのも描きたいものがいっぱいあるからなんだよ！」

ここだけ読むと、手塚の言いたいことは「好きな題材、好きなストーリーパターンだけ描いていきたい」だと聞こえるかもしれない。

なるほど、それはそれで意味のある教えだ。本書としても無理に苦手なジャンルに挑戦せよとは教えない。特に最初の頃は、まず創作が楽しいことが第一だからだ。ただ、プロがプロあるいはプロ志望者に伝えるメッセージとしてはどうなんだろう……と思いながら読者の目が先のコマを追うと、手塚はさらに言葉を重ねている。

「だからまんが家はいつも描きたい素材をたくさん貯金していなければならないんだよ！」

このセリフによって、一連の主張の意味合いは大きく変わる。好きなことしか描きたくない、だから好きなことだけ描く……で終わるのではなく、「そのために好きなことをたくさん貯める」とつながるものと解釈できるようになるのだ。

好きなことをたくさん貯めるためには、もともと好きだったものだけでは絶対に足りなくなる。日頃から自分は何が好きかを考え、いろいろなものを試して好

「作りたいものを作る」こと

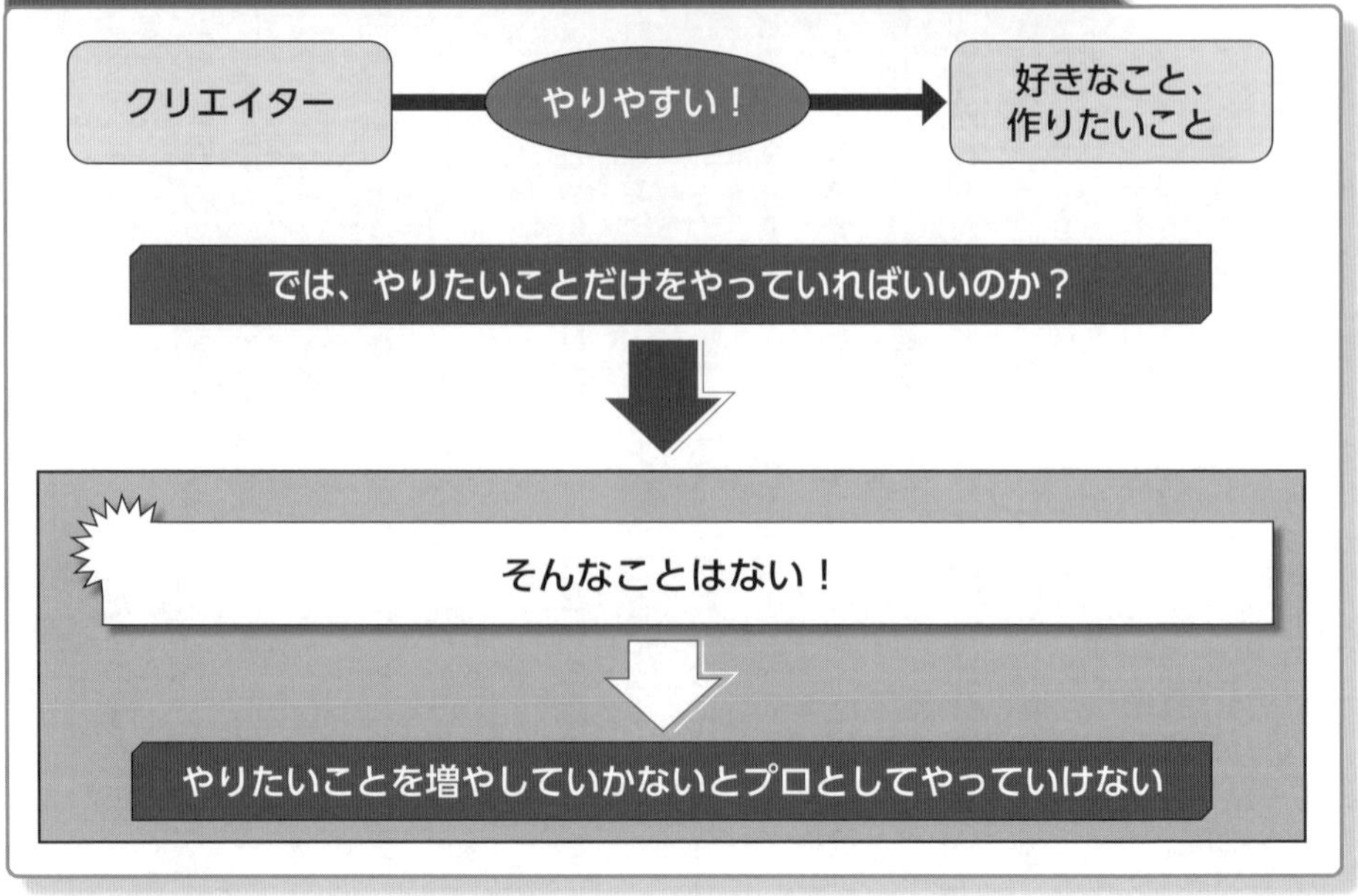
クリエイター
やりやすい！
好きなこと、作りたいこと
では、やりたいことだけをやっていればいいのか？
そんなことはない！
やりたいことを増やしていかないとプロとしてやっていけない

きになれるものを探す必要があるはずだ。

好きなものを貯める、増やす、というのは口で言うほど簡単なことではない。人間には好みがあって、それはそれなりに幅が決まっている。この幅は若い頃にはある程度広げやすいのだが、歳を取れば取るほど固定化され、広げにくくなる。これは感性が鈍るということでもあるし、趣味に費やす時間が減って従来の好みに関係すること以外に時間を使えなくなる、ということでもある。

手塚治虫は果たしてもともと持っていた「好き」の範囲内だけで「描きたい素材」を貯められただろうか。とてもそうは思えない。意識し、努力して「好き」の範囲を広げ、「描きたい素材」を増やしていたはずだ。そうでなければ、どうしてあれほどまでに多彩な作品をものにすることができただろうか。

漫画の神様がそこまでやっていたのに、凡人である私たちが自分の小さな「好き」の範囲にとどまっていてどうしようというのか。強い好奇心を持ち、興味を広げ、それによって良い発想を得ようと努力するしかないではないか。

TOPIC

コンセプト

コンセプトってなんだ

「コンセプトが大事だ!」

——耳がタコになるくらい聞いてきた話のはずだ。ただ、「コンセプトって具体的にどういうことなんだろう」とぼんやり思っていた人も多いはず。

私も含め、テクニックやノウハウを教える人の悪いところなのだが、どうにも横文字を使いたがる……と、こう書く先から横文字が出てくる。教えるためにはある程度敬意を向けてもらわねばならず、そのためにはハッタリをかまさなければならなくなり……という事情もある。

しかし、もっと大事なのは具体的な説明でしっかり理解してもらい、実際の創作に役立ててもらえることだ。そこで、もうちょっとお付き合いいただきたい。

実際、私たちは生活の中で、コンセプトという言葉に慣れ親しんでいるので、逆に「具体的に創作をする時、頭をどのように動かしてコンセプトを考え、また創作に利用しているか」といわれると、これが意外にはっきりとはしないものだ。

こういう時は辞典か事典に当たるのが良い。詳しくは後述するが、何かに困ったらすぐ辞典あるいは事典に当たる癖をつけておくと、創作には大いに役立つ。

さて、コンセプトについて引くと、『デジタル大辞泉』は次のように答えてくれる。

> **コンセプト【concept】**
> 1 概念。観念。
> 2 創造された作品や商品の全体につらぬかれた、骨格となる発想や観点。「―のある広告」

言葉の本来の意味は前者だが、創作の際に使う意味は明らかに後者だ。ではこれで解決か、というとまだ具体性に欠ける。少し踏み込んでみよう。

コンセプトとは

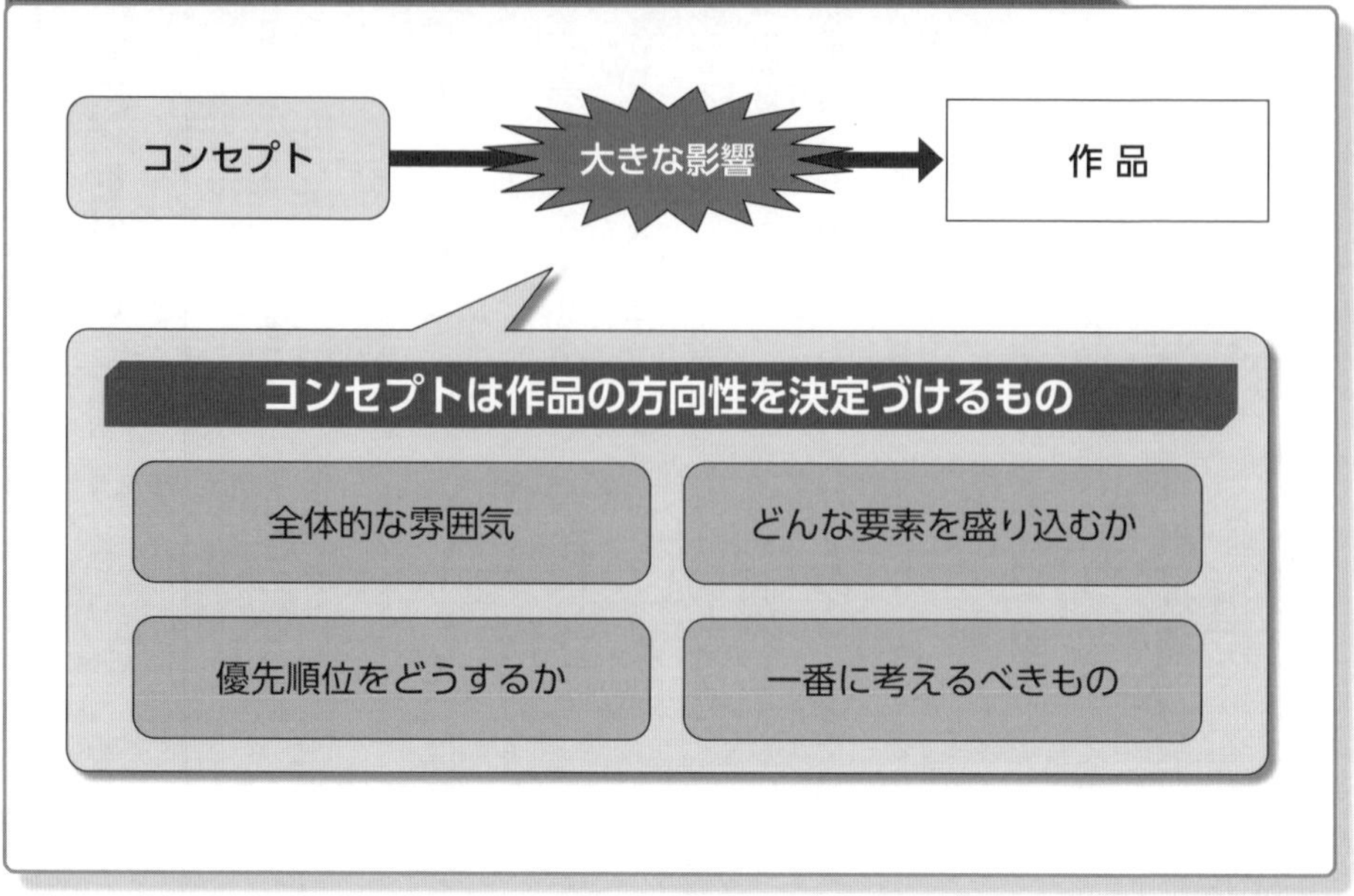
コンセプト
大きな影響
作 品
コンセプトは作品の方向性を決定づけるもの
全体的な雰囲気
どんな要素を盛り込むか
優先順位をどうするか
一番に考えるべきもの

コンセプトとは「方向性」

改めて、『デジタル大辞泉』の記述を確認してほしい。「つらぬかれた」「骨格」というキーワードがある。ここに創作におけるコンセプトの意味、必要性がある。

別の言葉に言い換えてみよう。本書ではコンセプトという言葉は「方向性」と言い換えられる、と考える。

つまり、あなたは自分の作品をどんな方向性に持っていこうと考えているのか？ それが創作におけるコンセプトだ。

コンセプトがあるとどんな効果があるのか。一番大きいのは、物語の中の要素に優先順位をつけられる、ということだ。

一つの物語は無数の要素を含んでいる。それはキャラクターもそうだし、作中で起きる細々としたイベントや世界設定もそうだ。

あなたを含む多くのクリエイターは想像力豊かで、一つの作品に込めたいアイデアは無数に存在する。しかし、作品のボリュームは有限なので、そのすべてを取り込むことはできない。また、入るだけのアイデアを選び終えた後も、エピソードの順番をどうするか、という問題が起きる。

物語の要素のうちどれを選び、どう並べるか。この判断をするにあたって重要な意味を持つのがコンセプトなのだ。

例えば、

「この作品は少年漫画みたいな雰囲気にしたいから、主要キャラクターも中高生くらいの年齢で固めたい」「大人向け作品だから男心をくすぐる色気が必要なんだ。だからキャラや舞台、エピソードの選択にもそういう心遣いがいる」

という具合である。

「マーケティング」を考える

それでは、ここからいよいよ具体的にコンセプトを掘り下げていこう。

エンターテインメントにおけるコンセプトは、大きく分けて次の二つで構成されると考えてほしい。

①物語で最も重視される要素はなんなのか？

②誰に向けて、どんな場所で公開される作品なのか？

①は本書において「テーマ」と呼ぶ要素だ。これは作品内部の要素であり、詳しくは次項で紹介する。
これに対して②は作品外の、いわゆるメタフィクション的な要素だ。「マーケティング」といってもいい。作品そのものと直接的には関係ないが、しかし間接的には大きな意味がある。場合によってはまず②ありきで作品を作り始めることもあるだろう。あなたがプロフェッショナル——つまり、作品を自己表現としてではなく、商品として作る人であるならば、なおさらこちらの事情が大きくなる。

もうちょっと掘り下げてみよう。コンセプトについて想いをめぐらせる時、あなたは例えば次のようなポイントについて考えることができる。

・公開するつもりで作るのか、そうでないのか
↓するとしたらどんな場所で、誰に対してか
・投稿するつもりで作るのか、そうでないのか
↓するとしたらどんな出版社や賞に対してか

・販売や頒布するつもりで作るのか、そうでないのか
→するとしたらいくらでか、それとも無料配布か

この三つのポイントを一つにまとめれば、
「あなたの作品は誰をターゲットにしているのか」
ということになる。

男なのか女なのかそれ以外なのか、若者なのか老人なのか、金持ちなのか庶民なのか、一般ユーザーなのかコアユーザーなのか、あなたの将来性を考えてくれる審査員なのか今この瞬間の面白さが重要な一般客なのか、そして何よりも「あなたの作品はどんなライバル作品と比べられるのか？」。

このようなポイントが、作品の方向性（＝コンセプト）に影響を与える。

そのため、理想は「自分の作品を手にする相手の顔が想像できる」ことだ。

もちろん、何事もそうであるように、完全な予測はたいてい不可能である。誰か一人や家族・友人など特定少数のために（あるいは自分自身のためだけに）作るようなケースを除いて、あなたの作品をまったく思いもよらぬ人が手に取る可能性は高い。

それでもある程度は想像できるはずだし、またそのために考えねばならない。単に自分の頭だけで考えるだけでなく、情報収集も一緒にするべきだろう。

例えば小説の新人賞に応募する作品であるなら、主催する出版社（レーベル）のこれまでの受賞者リストや、現在売れ筋になっている作品群が重要な手がかりになる。その出版社がどんな作品を好むか、そしてまたどんな作品をライバルとしなければいけないか（似たようでいて、しかし何か大きな違いがある作品が好まれやすい）を考えるヒントになるからだ。

なお、本書で紹介しているビジネスマン向けの発想法は、「これから自分が挑戦しようとする場所にはどんな特徴があるか？」と考え、分析する際にも役立つ。

コンセプトが左右するもの

コンセプトはどんな要素を左右するのか。

それは先ほど紹介したようなキャラ、ストーリー、世界設定などの大きな要素だけではない。さらに細かい作中要素にも関わってくる。

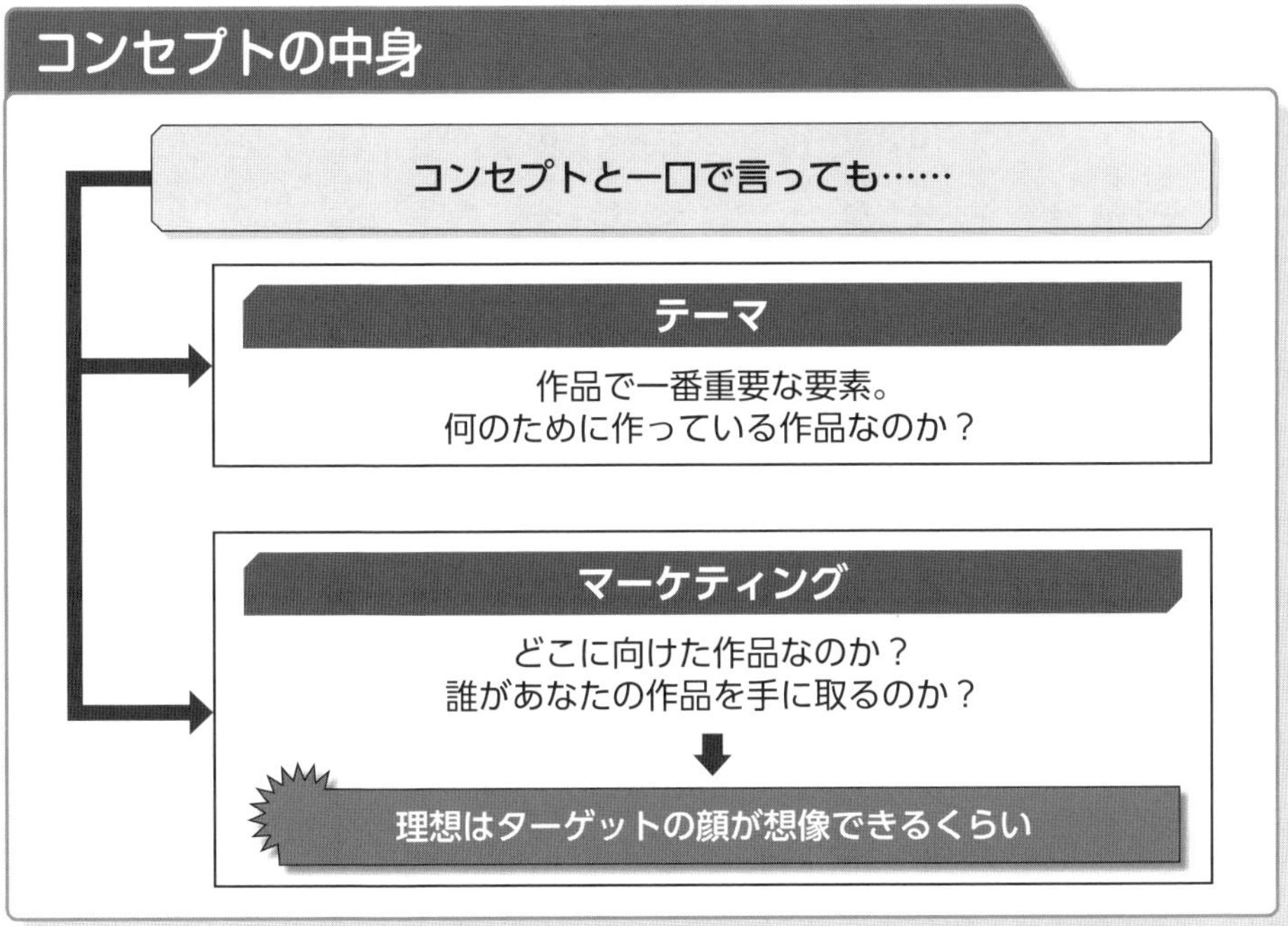
コンセプトの中身
コンセプトと一口で言っても……
テーマ
作品で一番重要な要素。
何のために作っている作品なのか？
マーケティング
どこに向けた作品なのか？
誰があなたの作品を手に取るのか？
理想はターゲットの顔が想像できるくらい

・改行をどのくらい頻繁に行うか
・漢字をどのくらい使うか
・風景や情景をどのくらい細かく描写するか
・アクションシーンをどのくらい盛り込むか
・セクシャルなシーンをどのくらいの分量で、どのくらい露骨に盛り込むのか（下着程度から本格的なシーンまで）

などの要素も「その作品はどんなコンセプトなのか？」という問いかけと深く関わっている。「その作品がどんなコンセプトを持つか」次第で物語の中の要素は大きく左右されるのである。

アーコフの方程式

ターゲット読者が見え、そのために必要なコンセプトの大枠が見えたとして、それではどのような要素を入れ込めばいいのか。ターゲット次第、時代次第、媒体次第でいくらでも変わることなので、とても一口ではいえない。

ただ、一つ参考にできるかもしれない考え方がある。それが「アーコフ（ARKOFF）の方程式」である。二十世紀のアメリカの映画プロデューサーだったサミュエル・Z・アーコフの残した法則で、良い作品とは次の要素を満たすのだという。

①A＝Action（動き。いわゆるバトルやアクションというより、スリルがある、興味を引くドラマのこと）

②R＝Revolution（革命。新鮮で、意表を突く、テーマや題材のこと）

③K＝Killing（殺し、暴力。ただし悪趣味にならない程度であること）

④O＝Oratory（弁舌。テンポのいいやり取り、印象的なセリフのこと）

⑤F＝Fantasy（夢想。いわゆるジャンルとしてのファンタジー（幻想）のことではなく、「こんなだったらいいな」「こうだったら面白いな」という見る人の願望に応えること）

⑥F＝Fornication（密通。セクシーさ、ドキドキさせる魅力）

一通り見て、どう思っただろうか。「このアーコフの方程式はけっしてあらゆる物語に適応できるという類いのものではないと考えたほうがよさそうだ」——そう感じた人が多いのではないか。実はそれ、大正解である。

そもそも提案者であるアーコフはなるほどハリウッドで活躍した映画プロデューサーなのだが、彼が携わった作品のリストをつらつら見るに、そのジャンルはいわゆる「B級ホラー」が多い。つまり、彼は（時に俗悪と言われる類いの）大衆向け作品を主に手掛けていた人であるわけだ。

その視点で見ると、アーコフの方程式が持つ方向性が分かるのではないか。下品にならないギリギリのレベルで（「密通」があるあたり、時にはその線を飛び越えてしまうのではないかと思うが）多種多様な刺激に満ちた作品。それこそが大衆にウケる、優れたエンターテインメントである——アーコフはそう言いたいのではないだろうか。

翻《ひるがえ》って、皆さん自身の場合はどうであろうか。

例えば、若い男性向けのエンターテインメントは、

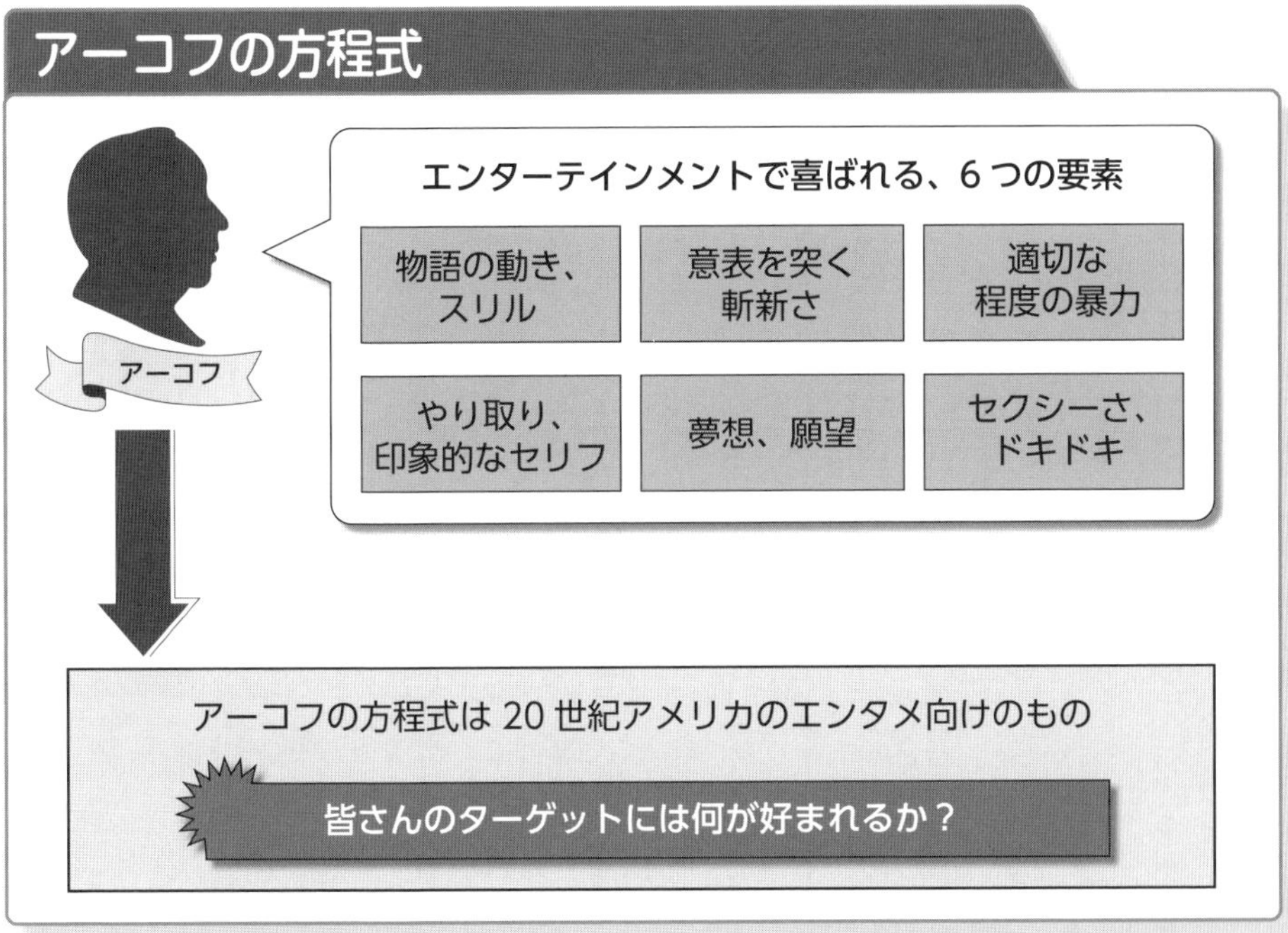
アーコフの方程式
エンターテインメントで喜ばれる、6つの要素
物語の動き、スリル
意表を突く斬新さ
適切な程度の暴力
やり取り、印象的なセリフ
夢想、願望
セクシーさ、ドキドキ
アーコフ
アーコフの方程式は20世紀アメリカのエンタメ向けのもの
皆さんのターゲットには何が好まれるか？

やっぱりセクシャルな表現（「密通」）が好まれやすい。

しかし、それがキス止まりなのか、パンチラくらいまで踏み込みたいのか、いやいや裸を見せないと収まらないのか、それとも一線を踏み越えて性的交渉に及ぶのか。これは皆さんがどんな相手をターゲットにして作品を作るのかで大きく違う。

そもそもアーコフ的要素を好まない読者だって相当数いる。「革命」的新鮮さより保守的な安定を望み、「密通」的な刺激に眉をひそめ、「殺し」的なスリルとサスペンスは刺激が強すぎるというターゲットはけっして珍しくないはずだ。「動き」的なドキドキワクワク展開もやりすぎると飽きられてしまうし、「弁舌」よりも地の文でしっかりと説明してもらうほうが好みな人もいる。「夢想」が大事だからといってあまりにもあからさまに願望が叶えられるような展開は照れや気恥ずかしさを呼び起こすことだってある……。

大事なのはあなたのターゲットをどのように見積もり、どんなふうにコンセプトを設定するかであり、アーコフのやり方はその参考になるだろう、ということなのである。

テーマとは

テーマについて考えよう

前項ではコンセプトの重要性を紹介した。

しかし、読者の皆さんの中には疑問を感じた人もいるのではないか。それは「方向性が大事だ」という話ではあったが、「具体的に方向性を定めるにはどうしたらいいのか」という話が不足していたのではないか、という疑問だ。

これはまったくその通りで、前項ではあえて紹介しなかった部分がある。「誰に向けて、何のために作品を作るのか」だけではコンセプトとして完全ではない。「自分はどんな作品を作りたいのか」という意思が必要なのである。これがテーマ（主題）だ。

前項で紹介したメタ的なコンセプト、マーケティングとテーマは相互に関係し合っている。

「こういうところで発表するためにはこういう主題が向いている」

「こういう主題はこういう賞に送ると喜ばれやすい」

以上のような関係性があるからだ。

ここではマーケティングを弓に、テーマを矢に例えたい。読者の心に届くのは矢＝テーマだが、クリエイターの力を正しく矢に反映させるためには弓＝マーケティングが必要なのだ。

テーマとは何か

テーマについて、もう少し掘り下げてみる。

そもそも、テーマとは何か。いろいろな考え方があるが、ここでは、

「その作品で一番大事なものは何か」

という意味だと考えたい。しばしば日本語訳として使われる「主題」という言葉がより本質に近い説明であろう。

多くの場合、物語について考えた時に「こんな話にしたいなあ」というふわっとしたイメージが湧いてく

るはずだ。しかし、それだけでは物語の形にまとめることはできない。皆それぞれのやり方で一つの物語になるように要素を取捨選択し、「これはこういう物語だ」という大まかな形を作っていくことだろう。

その時、多くの人は無意識のうちに一つの要素を「この作品で一番大事なのはこれだ」と見出す。それが本書でいうところのテーマだ。

そして以後、「この要素残そうかな」「イベントはどんな順番で起こそうかな」と考える時、やはり無意識のうちにテーマを参照し、「これはこうだな」と選択を行う。

しかし無意識だとどうしても選択基準が曖昧になりがちだ。あるいはきちんと意識できていない、選べていない（何が一番大事なのか決断できていない）ということになると、作品全体のイメージ・雰囲気が不統一になり、結果として、

「この作品はいったい何がしたかったんだろう？」

という印象を受け手に与えてしまいがちである。

だから、本書ではテーマの重要性を強く主張したい。物語を作り始め、要素をさまざまに思い浮かべてプロット（物語の設計図）を作る時に、

「まずテーマありき」

で考えてほしいのである。

そして、この最初の段階で思いついたテーマは、まだ仮で構わない。とりあえずの目標としてのテーマに基づいて要素を集め、並べ、物語を考えていく。その途中で考えが変わることもあるだろう。あるいは隠されていた真実が見えてくることもあるはずだ。

その時は、どうか迷わずテーマを変更してほしい。物語を作るというのは多くの場合自分の無意識と向き合うということであり、まだ見えていない真実を探すということだ。「こちらのほうが正しい」と思ったら躊躇しない勇気は、創作において――特に発想という段階においては重要なのである。

テーマはなんでもいいし、変えてもいい

テーマと一口に言われても何をどうしたらいいのか分からない、という人も多いだろう。

本書ではテーマの定義を「一番大事なこと」と非常に幅広く取るので、さまざまな要素がこの位置に入る

可能性がある。

例えば、こんなテーマがあり得る。

「劇的なラストシーン（主人公とヒロインのキス、命をかけて世界を救う主人公、パレードの中心人物を狙撃して立ち去る主人公、など）が思い浮かんだので、そこにつながって盛り上がる物語にしたい」

「キャラクターの魅力（ヒロインの可愛さ、主人公の格好良さ）を徹底的に引き立てたい」

「アクション、アクション、アクションの連続で興奮してほしい！」

これを見て「テーマっぽくない」と思うだろうか。しかし、少なくとも本書ではテーマは「これでいい」と考える。キャラなり、ストーリー（エピソード）なり、世界設定なりを、

「狙撃されるのはどんな人物なんだろう。主人公はどうしてそいつを撃つんだろう。どんな関係だったんだろう。衝撃的な展開にしたいから、もともとは仲間だったんじゃないか。どうして二人はたもとを分けたんだろうか。主人公が裏切られるほうがそれっぽいかな。銃があるんだから近世以降の社会かな……」

といった具合にテーマを一つのきっかけとし、またテーマが魅力的になるように要素を集めて並べていけばいいのである。その中で、

「そうか、この話に登場するキャラクターは皆自分の信念を貫いていることで共通しているな。主人公がアイツを狙撃するのは自分の信念を捨てたからだ、とすると全体の筋が通るな……」

と新たな（隠された）テーマが見つかることもある、というのは既に紹介した通りである。

概念としてのテーマ

一方、もっと主義主張や概念的なテーマで作品を作りたい、という人もいるだろう。いや、どちらかといえばそちらのほうが、一般的なイメージで言うところの「テーマ」という言葉に近いはずだ。

どんな概念がテーマになるだろうか。「友情」「闘争」「絆」「恋愛」「平和」「情熱」「勝利」「成長」……まだまだいくらでも挙げられる。

テーマは何のために

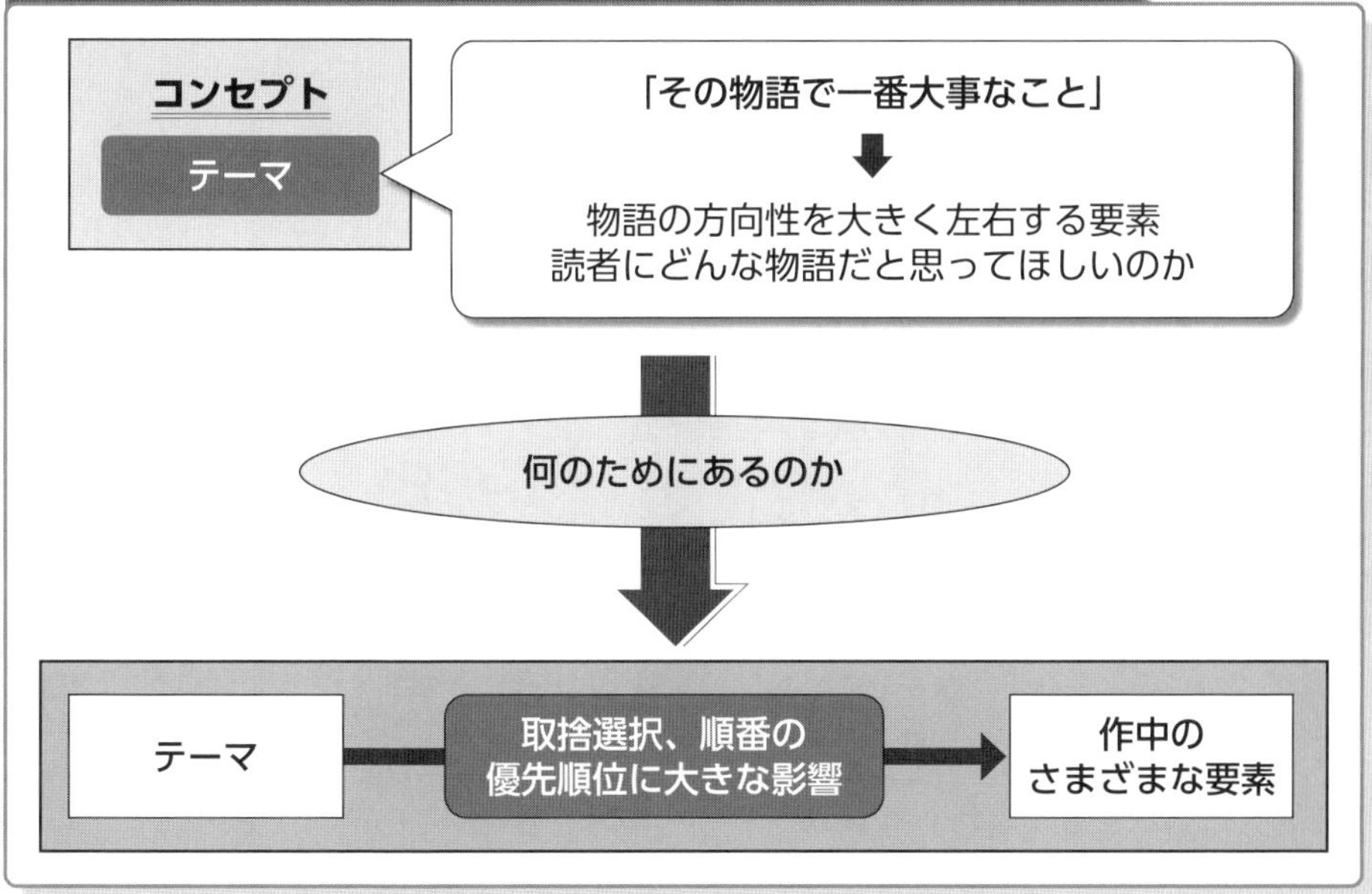
コンセプト
テーマ
「その物語で一番大事なこと」
物語の方向性を大きく左右する要素
読者にどんな物語だと思ってほしいのか
何のためにあるのか
テーマ
取捨選択、順番の
優先順位に大きな影響
作中の
さまざまな要素

ところが、このような概念的なテーマを掲げたはいいものの、

「次にどうしたらいいのか分からない」

「実際に書いてみるとテーマが反映されていない気がする」

「書き上げた作品を読んでもらったがテーマが相手に伝わらなかった」

となるケースがしばしば見られる。

これは当然で、先ほど挙げたような概念はあまりにも一般的・汎用的な「広い」概念であるから、物語に直結しないのである。もっと個別具体的な「狭い」イメージを掘り下げなければ創作にはつながりにくい。

おそらく、あなたの中にも具体的なイメージはあるはずだ。だがそれはたいていの場合は無意識の中に隠れて曖昧で、はっきりとした形を取らない。あるいはもしかしたらはっきりとしたものにすることが気恥ずかしくて、大仰な概念にしてしまったのかもしれない。

だが、それではテーマを設定した意味がない。個別具体的な言葉として自分の中に発見し、定義して初めて、他の要素の優先順位を決めるという重要な役割を果たすことができるのである。

なお、このような「掘り下げ」にはブレインストーミングを始めとする発想法が役に立つので、本書別項をご参照いただきたい。

テーマの一例として――愛

例えば、「愛」で考えてみよう。愛と聞いて、あなたは何をイメージするか。愛という言葉はあまりにも広い意味を持ちすぎていて、それだけでは具体的な意味合いにたどり着かない。

家族の愛、隣人への愛、仲間への愛、地域への愛、国家への愛。目上の人を敬う心も「敬愛」というのだから立派な愛だ。最大限に広げれば人類愛ということになろうか。

いやいやそうじゃない、愛といえば「恋愛」だ、と考える人が多いだろうか。ところがこれもまた難しい。

恋愛とまとめてしまうけれど、「恋」と「愛」は別物と考える人が多いはず。では、どう違うのか？　恋は幼く愛に大人のイメージがあるとか、恋は一方的だが愛は双方向的だとか、恋は結婚前で愛は結婚後だとか、人によりさまざまな定義や印象があるだろう。

そもそも恋だの愛だのがどのように表れるか、という点も見逃せない。

相手に何も求めない「無償の愛」は理想的な愛として語られることが多いが、しかし本当にそうか、と疑問も持ちたくなる。ただただ与えるだけ／与えられるだけの関係は不自然だと感じるのは、ごく普通のことであるはずだ。

相手の何かしらの特徴（美貌、優しさ、知性、職業、金銭、社会的地位……）ゆえに惹かれ、愛することもあるだろう。助けられ、恩を受けたゆえに愛が生まれることもあるかもしれない。それらの感情がゆっくりと別のものに変わることだって、珍しくない。

後付の愛だってあり得る――騙すために恋を騙り、社会的事情から仕方なく見合いをし、あるいは合意の上で偽装結婚をして、一緒に暮らす中でやがて恋や愛が生まれたって何もおかしくない。

さらにいえば恋愛結婚が今ほど盛んになったのはごく最近で、かつては見合いが当たり前だった。それで

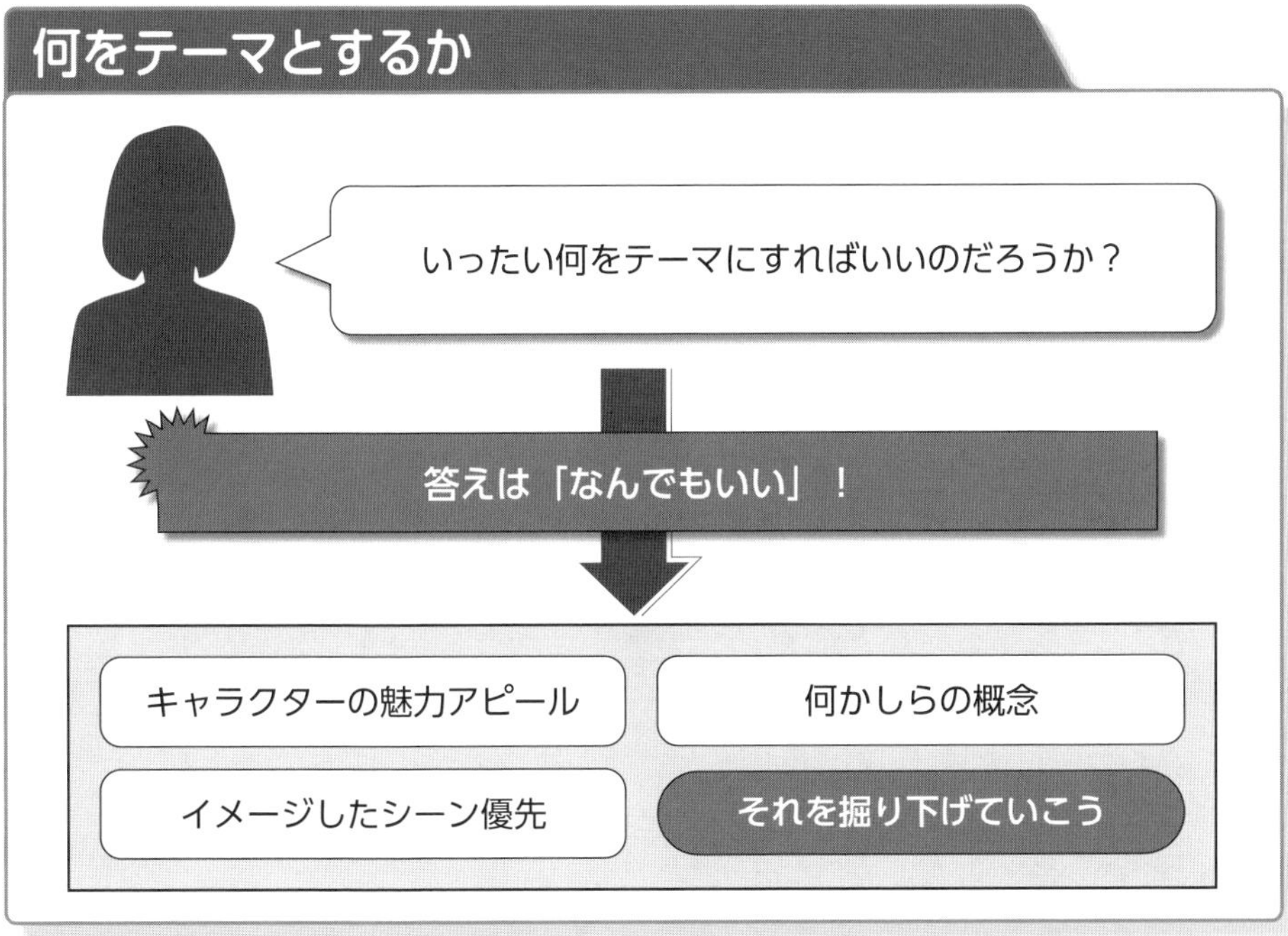
何をテーマとするか
いったい何をテーマにすればいいのだろうか？
答えは「なんでもいい」！
キャラクターの魅力アピール
何かしらの概念
イメージしたシーン優先
それを掘り下げていこう

も当時の夫婦に恋や愛がなかったと、いったい誰に決めつけることができるだろうか。

なおもいえば、実は古典的な恋愛物語の中でしばしば不倫・浮気が美しいもの、真実の愛として描かれがちな理由がここにある。結婚は家の事情で行う偽りのものだが、不倫・浮気はあくまで自分の心が求めたものであり真実の愛だ、というわけだ。この考え方を良しとするか悪しとするかは人それぞれだが、少なくとも現代的価値観において褒められたものでないことは忘れずに。

一方的な愛もあるだろう。ストーカーがストーキング対象に向ける愛は、少なくとも当人にとっては純愛そのものであるはずだ。傲慢で強権的な父親は家族を彼なりに愛しているかもしれないが、子どもたちは己の父を自らを束縛する相手、優しさを示さない鬼のような男としてしか見ないかもしれない。最後に待っているのは破滅的な衝突だけだ。人形に対する愛、無機物に対する愛もまた一方的で、見返りが与えられることはないだろう……何かファンタジックな現象が起きない限りは。

似たような形で、愛がすれ違うこともあるはずだ。見合い結婚の夫婦が片方はあくまで長年一緒に連れ添ってきた家族としての愛しか向けないのに、もう片方は恋愛的な意味での愛を向けていたら、いつかそのすれ違いが大きな事件を起こすこともあろう。

さてここまで、思いつくままに「愛」(あるいは「恋」)に関係する物事を書き連ねてみたが、予想以上に膨れ上がってしまった。これでもまったく書ききれていない。もっと多様な「愛」のあり方があり、それぞれを物語の中心に置くことができる。あるいは各種の愛がぶつかり合うような物語を作ることもできるだろう。

逆にいえば、「あなたが物語のテーマに据えたい愛とはなんなのか」の問いかけなしに物語を作ることはできないと、分かってもらえるのではないだろうか。

もちろん、このように細かく掘り下げることができるのは「愛」だけではない。多種多様な概念それぞれを細かく分析し、解析し、そして「それを実現するためにはどんな物語にすればいいのか」を考える必要がある。であればこそテーマの意味があるのだ。

テーマとしての物語パターンやジャンル

この主義主張や概念的テーマに近いところに、「大まかな物語パターンやジャンルをこそテーマとして据えたい」というケースがある。

例えば「異世界ファンタジーがやりたい」「SFがやりたい」「デスゲームものがやりたい」「青春ラブコメがやりたい」という具合である。これらも十分にテーマとして機能するが、しかしやはり非常に大づかみなワードなので、概念と同じように掘り下げていく必要がある。

ここでは一例として「デスゲームもの」をピックアップしてみよう。

デスゲームものは近年流行っている物語ジャンルの一つだ。多くの場合主人公はなんらかのゲームに挑戦することになる。強制的に参加させられることもあれば、なにがしかの報酬につられてのこともある。

当然、彼らが行うのは普通のゲームではない。閉鎖空間(無人島だったり、謎の施設の中だったり)で殺し合いをさせられたり、ヴァーチャルリアリティ世界

テーマを掘り下げる

一番分かりやすいテーマは「概念」だろう
（愛、友情、平和、闘争、復讐、裏切り、戦争……）

注意すべきは、曖昧な概念ではいけないということ

「愛」だというなら、どんな愛なのか？
「平和」だというなら、そこにどんな意味を持たせるのか？

概念を掘り下げて、
具体的な形を見出せないとテーマの意味がない

の中で戦うことになったり、異常な大きさや危険があるアトラクション・アスレチックであったり、あるいはカードゲームやボードゲームなのだけれどプレイヤーに物理的・精神的・社会的なダメージがあったりする。そして多くの場合、敗者に待っているのは「死」の代償だ……。

このように、「死」の「ゲーム」というところが注目されるのがデスゲームものの特徴だが、その中のどこに魅力を感じているか、何を中心にしたいか、というのは人によって違う。そこをきっちり掘り下げないと、テーマとしては正しく機能しない。

死という非日常的な出来事に直面したキャラクターたちの動揺、変化、成長、そして「日常では隠していたものが表れてしまう」さまを描くのが最もベタだろうが、それだけではない。閉鎖空間だからこそ描ける物語に着目したり、現実にはなかなかあり得ないダイナミックなゲームの面白さを追求したり、異常なゲームに耽溺する主催者たちの謎をメインにしたりするなど、人により面白さのポイントはいろいろだ。

このような掘り下げをしっかり行ってほしい。

まとめ：発想法のためにおさえておくべき基本

良い発想はインプットとアウトプット、そしてその過程から生まれる

インプット

常日頃から情報・知識・体験を貪欲に自分の中へ
取り込んでいくところから創作は始まる！

インプットにも、
アウトプットにも、
「好奇心」が大事！

⬇

面白がる心、
柔軟な態度が
あればこそ

インプットの時に
しっかりメモを取る。
忘れてしまっては
しょうがない

どんな時に
自分が気持ちよく
「発想」できるか探る

アウトプット

インプットした情報を自分の中でかみ砕き再構成し
「自分のアイデア」にすることが大事！

コンセプト

作品全体の方向性を定める方針。インプットの良し悪しを左右する

➡ マーケティング：誰に向けて、どこで展開する作品なのか？

➡ テーマ：その作品で一番大事なことはなんなのか？

Chapter

02

アイデア発想法あれこれ

さあ、アイデアを考えよう——どうやって？　これがなかなか難しい。

何も出てこなくて途方にくれる人もいれば、アイデアが出すぎてまとめきれない人もいるだろう。

そこで、ここでは「発想法」に絞って紹介する。あなたのイメージを刺激し、また無意識の中に隠れている答えを導き出すテクニックを学ぼう。

TOPIC

ビジネス発想法を活用する

既存テクニックの活用

改めて確認しよう。本書の目的は、小説や漫画、アニメ、ゲームなどのエンターテインメント創作を志す皆さんのために、アイデアを発想し、またこれを物語に取りまとめて昇華するための方法を提案することである。

さて、実は現代においては先に列挙したようなエンターテインメントのクリエイター以外にも、日常的にアイデアを提案し、取りまとめ、「作品」へ結びつけることを求められている人々がいるのはご存知だろうか。

それはビジネスマンである。

特に企画職——各種メーカーの企画部、あるいは広告代理店社員などが代表的であろう。新製品やサービスの提案や既存商品の改良など、彼らは常に新しい企画を出し続けることを求められる。

となると当然、ビジネスマンたちが新企画を生み出すための発想法に需要が出て、多種多様に開発されることになる。

これらの手法の中にはそれぞれの分野に特化しているなどの事情から応用範囲が狭いものもある。しかし、

- **自分の考えを整理する**
- **無意識では気付いていることを自覚する**
- **見落としているものを発見する**
- **発想を逆転する**

といった普遍的な用法があるものも多く、これらは創作を志す皆さんにとっても役に立つ。

実際、ビジネスで使える発想法として紹介されるものの中には、エンターテインメントでよく使われる発送法と類似するものも多い。それだけ応用範囲が広いテクニックなのである。

既存のテクニックを学ぶ

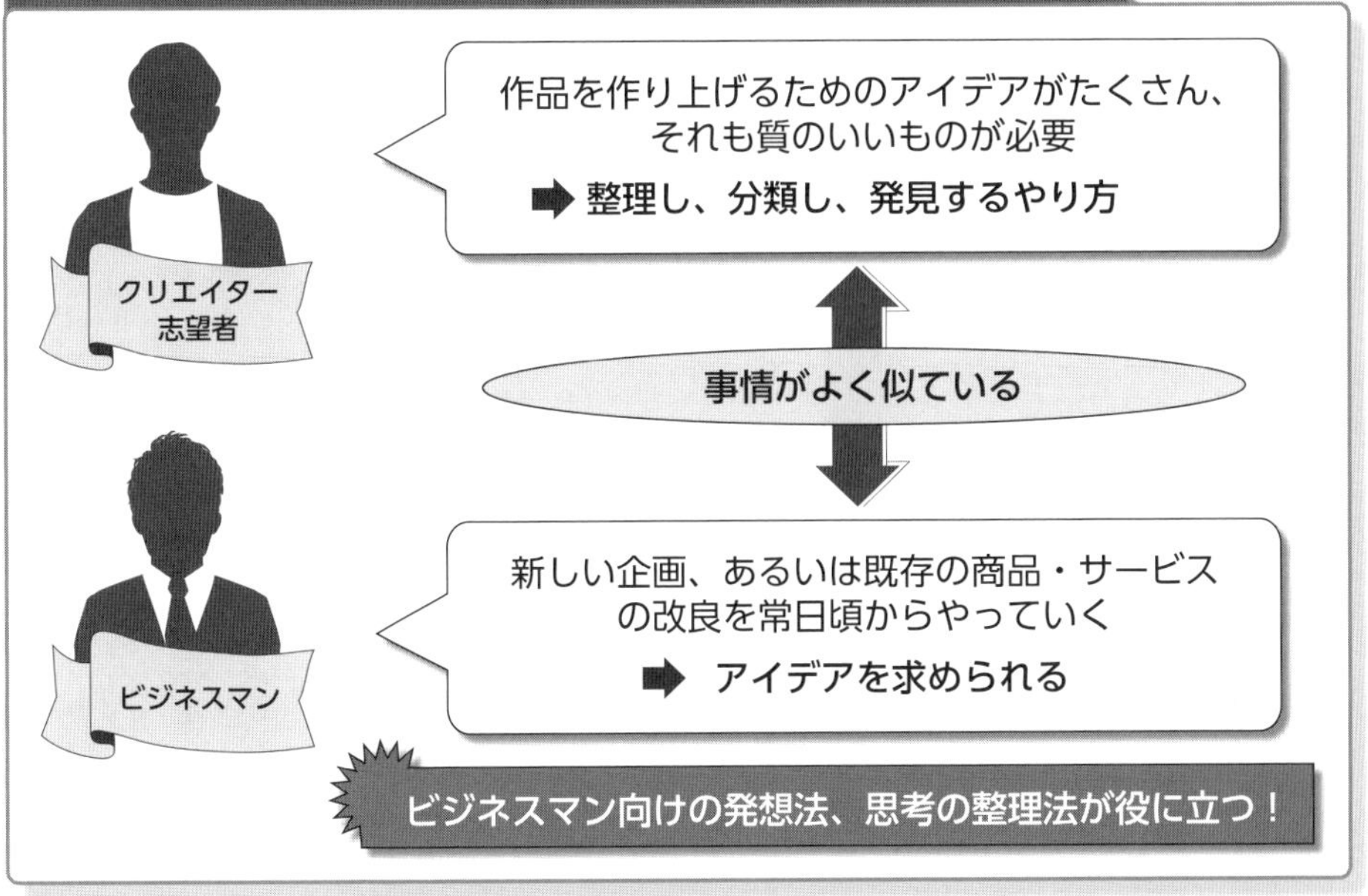
作品を作り上げるためのアイデアがたくさん、
それも質のいいものが必要
整理し、分類し、発見するやり方
クリエイター
志望者
事情がよく似ている
新しい企画、あるいは既存の商品・サービス
の改良を常日頃からやっていく
アイデアを求められる
ビジネスマン
ビジネスマン向けの発想法、思考の整理法が役に立つ！

例としては、

「ユーザーが求めているものを叶える方法をなるべくたくさん探して、その中でライバルがやっていない方法を探す」

「従来から存在するアイデアを二つ組み合わせて新しいアイデアを作り上げる」

「他人（読者）の立場に立って考える」

「個別要素を見る視点と全体を見る視点の両方を持つ」

などがそれだ。本書の各章で見ることになるものも多いだろう。

ブレインストーミング

ここからはビジネスマン向けの発想法として定番化しているものの中から、特に創作に向いている、試してほしいテクニックをいくつか紹介する。

アイデア出しの定番テクニックとして定着しているのが「ブレインストーミング」である。

本来のやり方は、複数人が会議室などに集まり、制限時間を決めて、なんらかのテーマに基づいてひたすら思いついたアイデアをどんどん言っていく、というものだ。この時、出てきたアイデアについて批判・否定をするのはＮＧである。とにかく思いついた端からどんどんアイデアを出して、自由な発想を生かすことを第一とする。

ブレインストーミングは多人数でアイデアを出すことに特徴がある。「お、そんなアイデアがあるなら……」と便乗し、膨らまし、刺激し合うことで発想が豊かに広がっていくわけだ。だから一人でやってもその真価を発揮することはできないと思うかもしれない。

それでも、

・一つのテーマについて時間を決め、徹底的に考える
・考え込んでいる最中は否定しないことで自由な発想を生かす

という二つの原則はアイデア出しに非常に役立つ。

これは自分のアイデアやプロットを他人に見てもらう（あるいは自分が他人のアイデアを見る）時にも意味のある原則だ。「私はこういうことを考えた」「僕はこうだ」と発想を他人に言い、「これはどういうこと？」「それだとここはどうつながる？」などと指摘してもらうことは、盲点を潰し発想を柔軟にすることができるので、非常に有用だ。プロ作家の場合は編集者が担ってくれる役割でもある。

もしあなたの友人に同じように創作を志す人がいるなら、協力する手がある。交互にこのようなブレインストーミング的アイデア出しに付き合ったり、あるいはなんらかの創作的テーマ（『泣ける展開といえば？』や『ハーレムもののヒロイン』など）に基づいてブレインストーミングを行うと、お互いのためになる協力ができるだろう。

しかしその時、アイデアを出している最中に「これはあり得ない」「これでは面白くならない」「そんなことも考えていなかったのか」など否定的な指摘をするのはＮＧだということは忘れてはならない。すべてのアイデアが出揃った段階ならともかく、アイデア出しの最中はある種の後付でいろいろなことを考えて当たり前だ。全体のバランスを整える段階ならともかく、アイデア出しの段階ではなるべく自由に、制限なく、思いつく限りのことを出せるようにしたい。

ちなみに、ブレインストーミングの変化系に「ブレ

ブレインストーミング

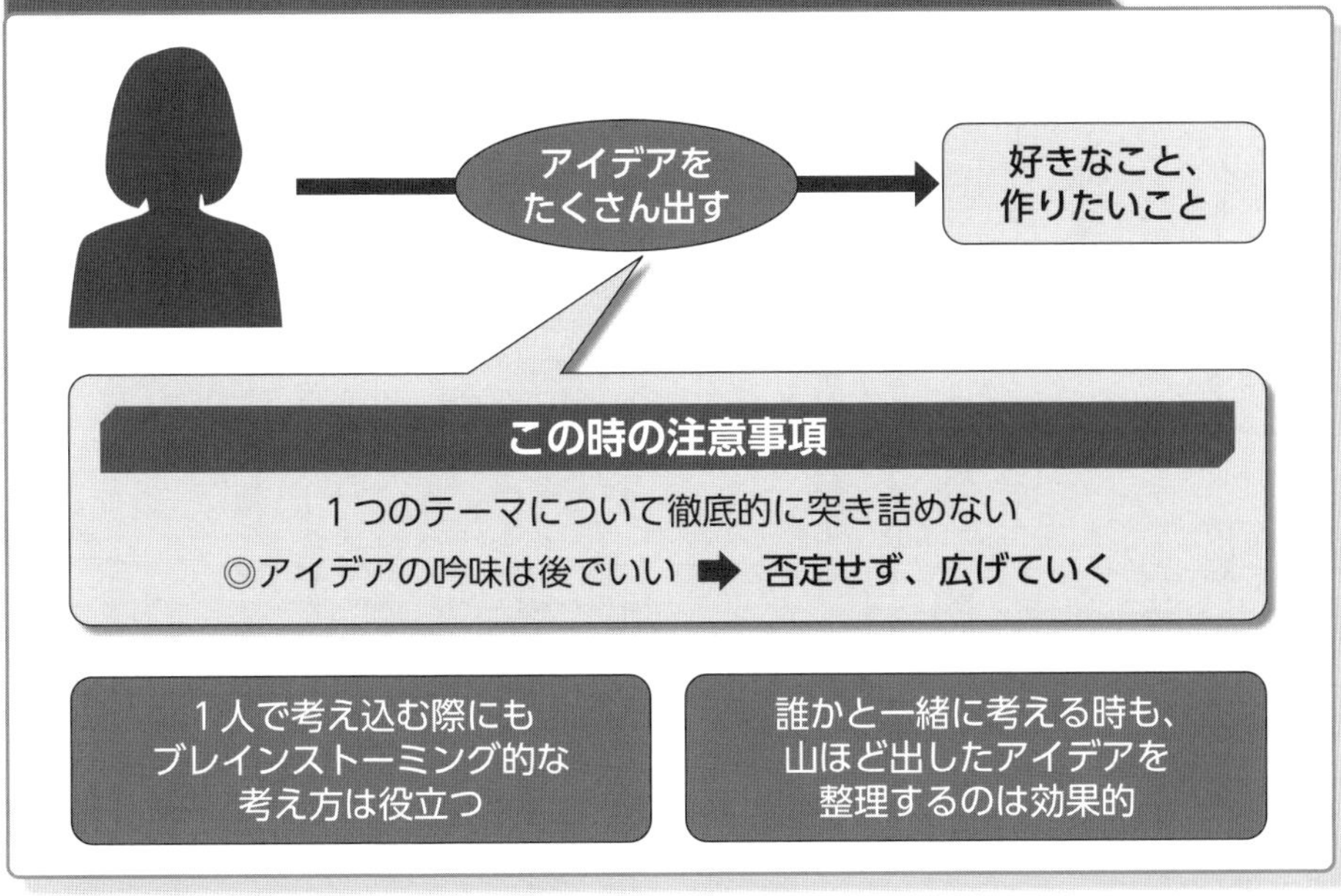
アイデアをたくさん出す
好きなこと、作りたいこと
この時の注意事項
1つのテーマについて徹底的に突き詰めない
◎アイデアの吟味は後でいい ➡ 否定せず、広げていく
1人で考え込む際にもブレインストーミング的な考え方は役立つ
誰かと一緒に考える時も、山ほど出したアイデアを整理するのは効果的

インライティング」というものがある。口に出し、相手の話を聞き、会議として行うのではなく、紙に書くことでブレインストーミングするスタイルだ。例えば「6・5・3法」などと言って、六人で五分ごとに三アイデアを出す手法などが知られている。

参加者が互いに刺激し合う要素が弱い代わりに、会議シチュエーションで起こりがちな「一人の押し出しの強い人物が他に影響を与えすぎてしまう」問題を回避しやすくなる。ブレインライティングスタイルなら、SNS上で行うというのも面白いのではないか。

KJ法

ブレインストーミングはとにかくアイデアを出すことを主眼とするから、玉石混交であったり、あるいは方向性が見えなくてまとまっていないアイデア群であったりするのが当たり前だ。そこで、良いアイデアを選別したり、「なんにも考えずアイデアを出したけど、自分がやりたいものってなんだろうなあ……」と考えるための別のテクニックが必要になる。

その代表格が「KJ法」だ。これは文化人類学者の川喜田二郎がフィールドワークの成果を取りまとめるために考案したもので、ブレインストーミングと同じように定番化している。

KJ法は白紙のカードや付箋を使って行うことが多い。付箋を大きな紙に貼り付ける形を取ると、後述するグループ分けや、グループごとの関係性を紙に直接書き込むことができる。あるいは、パソコン上でパワーポイントなどのソフトを使うのでもいいだろう。

KJ法は主に次のような手順で行われる（次に記述したものはKJ法の考え方を元に、創作に使えるようにアレンジしたもの）。

1：自分が作りたい物語に関係するアイデア（通常のやり方ではここでテーマを設定する）をカードや付箋に書き込む。この際、「一枚のカードに書くのは一つのアイデア」「アイデアは文章で書く」ことに注意する。

2：カードに書かれたアイデアを関係性の深いものごとにグループ分けする。この際、「キャラクター」「ストーリー」などのような分類で分けるよりも、「これはキャラクターAの能力に関することだな」「立ち寄る町で出会うことだな」「主人公の前に立ちふさがることかな」と、性質で分けたほうがKJ法のやり方に適している。

3：グループごとにその性質に合わせた名札をつける。グループにできなかったアイデアはそのままにする。その上で、小さなグループや単体をまとめて大きなグループにできないかと考えてみる。

4：取りまとめた大きなグループごとの関係性を考える。

5：アイデアから物語を文章化する。

KJ法そのものは情報を分析・取り出すのに微妙な判断が必要なテクニックなので、使いこなすには相応の訓練と配慮が必要になる。しかし、

「情報をカードにすることで適切な単位へ分割し、理解しやすくする」

「関係性のある情報をグループ分けすることで、全体を整理する」

という概念は創作の際にも大いに役立つので、ここ

KJ法の手順と考え方

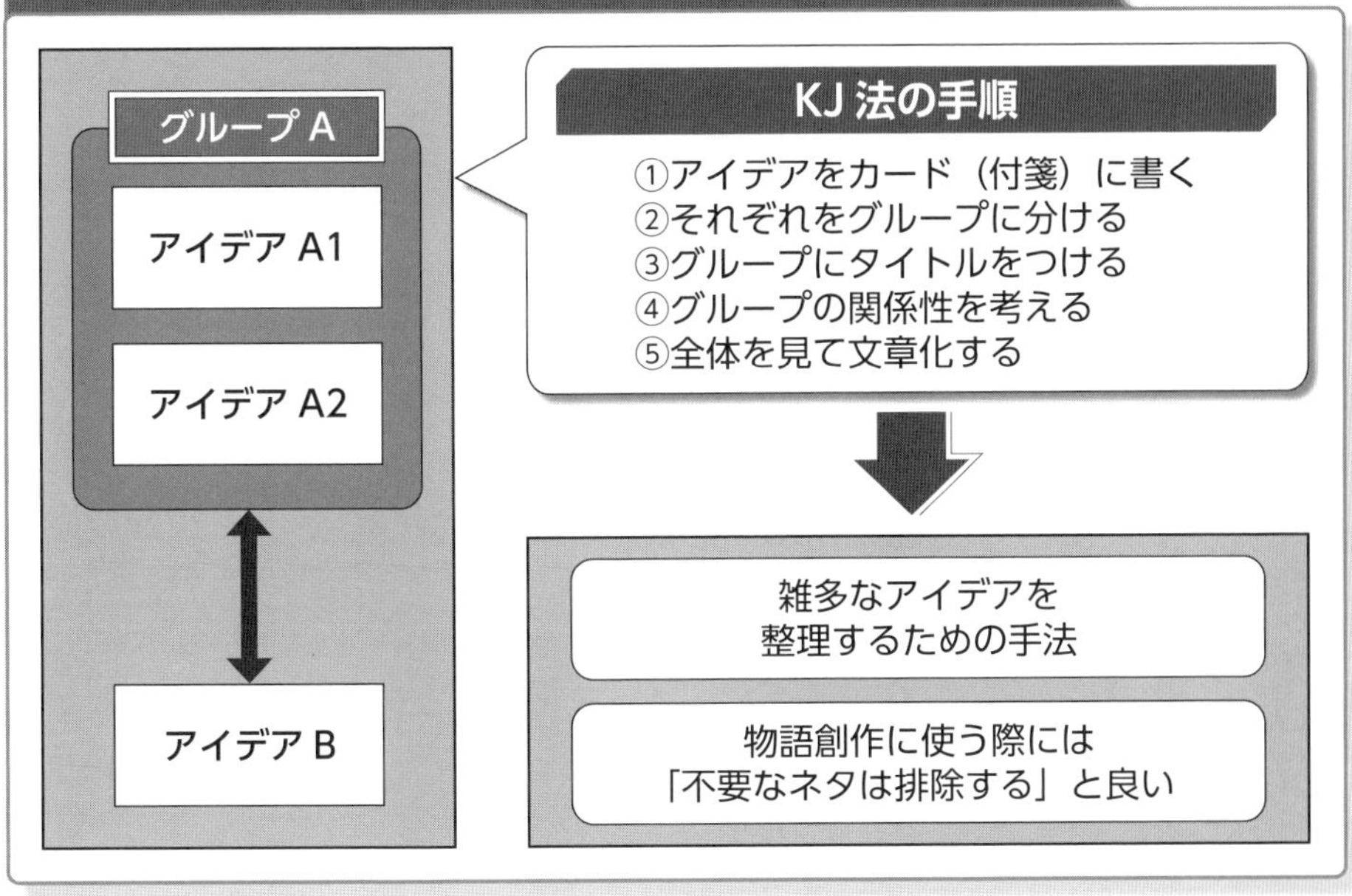
グループA
アイデアA1
アイデアA2
アイデアB
KJ法の手順
①アイデアをカード（付箋）に書く
②それぞれをグループに分ける
③グループにタイトルをつける
④グループの関係性を考える
⑤全体を見て文章化する
雑多なアイデアを
整理するための手法
物語創作に使う際には
「不要なネタは排除する」と良い

で紹介した。

また、本来のＫＪ法には「効果的でない情報を排除する」プロセスはないようだが、創作・ストーリーづくりで活用する際にはそうしたほうがいいかもしれない。他のアイデアとグループにならない、作品としてもテーマやコンセプトに合致しないアイデアは、無理やり入れても全体のバランスを崩壊させる可能性が高いからだ。

なお、一旦は外したアイデアだが、全体を整理するなどして、よくよく考えてみたらやっぱり役に立った、となる可能性もある。そんな時もカードや付箋など物理的な形にしていれば、除外していたアイデアを簡単に取り戻すことができる。頭の中で弄っていた場合は忘れてしまう可能性が高く、データの場合も消していたらこのようなことはできない。物理的媒体のいいところだ。

シックスハット法

アイデアの混沌の中からこそ魅力的な物語をつかみ上げることができる人もいれば、順序立てて考えを進めないと先を見失ってしまう人もいる。どちらが上でどちらが下という話ではなく、好みとやり方の問題だ。

後者タイプの人に役立つ発想法が「シックスハット法」である。

名前の由来は、議論段階を知らせるために使う六色の帽子にある。

①青の帽子＝検討テーマ
②白の帽子＝事実、客観的情報
③黄の帽子＝長所や肯定的な意見
④黒の帽子＝短所や否定的な意見
⑤緑の帽子＝黄の帽子の話題を受けて、さらなる発展的アイデア
⑥赤の帽子＝黒の帽子の話題を受けて、率直な好き嫌いについて

各議論段階においてそれぞれの帽子を被ることによって、「今何を話すのか」をはっきりさせるわけだ。長所と短所を同じタイミングで話すことを避けるため、議論が揉めることを防ぐ効果もある。


一人で物語を作るにあたって、このシックスハット法をそのまま使うのは難しいだろう。ただ、事前準備に用いたり、考え方だけもらってきたりするのには、大いに役立つ。

一つのおすすめは、自分が取り扱おうと思っているジャンルやテーマへの理解を深めるために使うことだ。

例えば、

「ファンタジー小説を書きたいが、一口にファンタジーと言ってもいろいろありすぎて、切り口が見つけられない」

という人にはシックスハット法をそのままやってみてほしい。

「ファンタジーの魅力といえばスケールの大きな世界観ってよく言われるよね」

「でも僕が魅力を感じるのはディティール部分だな」

「ファンタジーは現実離れしすぎていると言われている印象がある」

などと思考を進めることで、自分がそのジャンルやテーマのどこに魅力を感じるのか、どんな弱点を解決

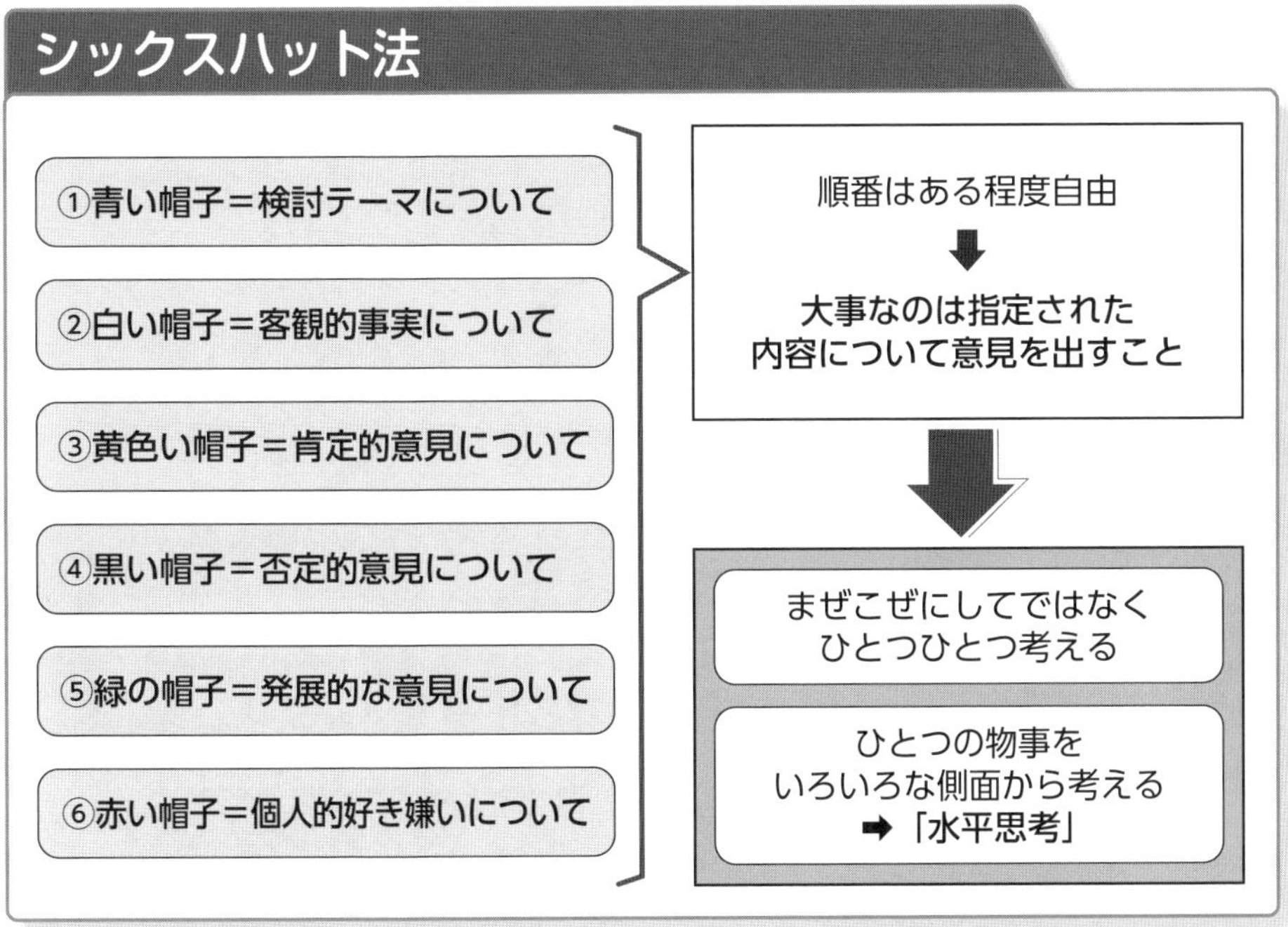
シックスハット法
①青い帽子＝検討テーマについて
②白い帽子＝客観的事実について
③黄色い帽子＝肯定的意見について
④黒い帽子＝否定的意見について
⑤緑の帽子＝発展的な意見について
⑥赤い帽子＝個人的好き嫌いについて
順番はある程度自由
大事なのは指定された
内容について意見を出すこと
まぜこぜにしてではなく
ひとつひとつ考える
ひとつの物事を
いろいろな側面から考える
➡「水平思考」

すればいいのか、と無意識の分析・課題の明確化ができるのだ。

また、このシックスハット法は「水平思考（多様な視点から物事を考える）」を実現させるためのやり方でもある。

客観的視点、主観的視点、感情的視点、希望的視点などいろいろな方向から物事を考えることで、先入観にとらわれず物語を作ることができるようになる。

柔軟な発想とはどういうものかを知るために、シックスハット法の理念は役に立つ。

ＰＭＩ法

水平思考を実現するための別の方法として、「ＰＭＩ法」というものもある。こちらはシックスハット法よりもシンプルだ。

まず、何をテーマとするかを決めてから、三つの箱を用意する。これは物理的なものでもいいし、紙に書いた四角い枠でもいい。そのそれぞれに、

・プラス（Ｐ、良いと思うところ）

PMI法

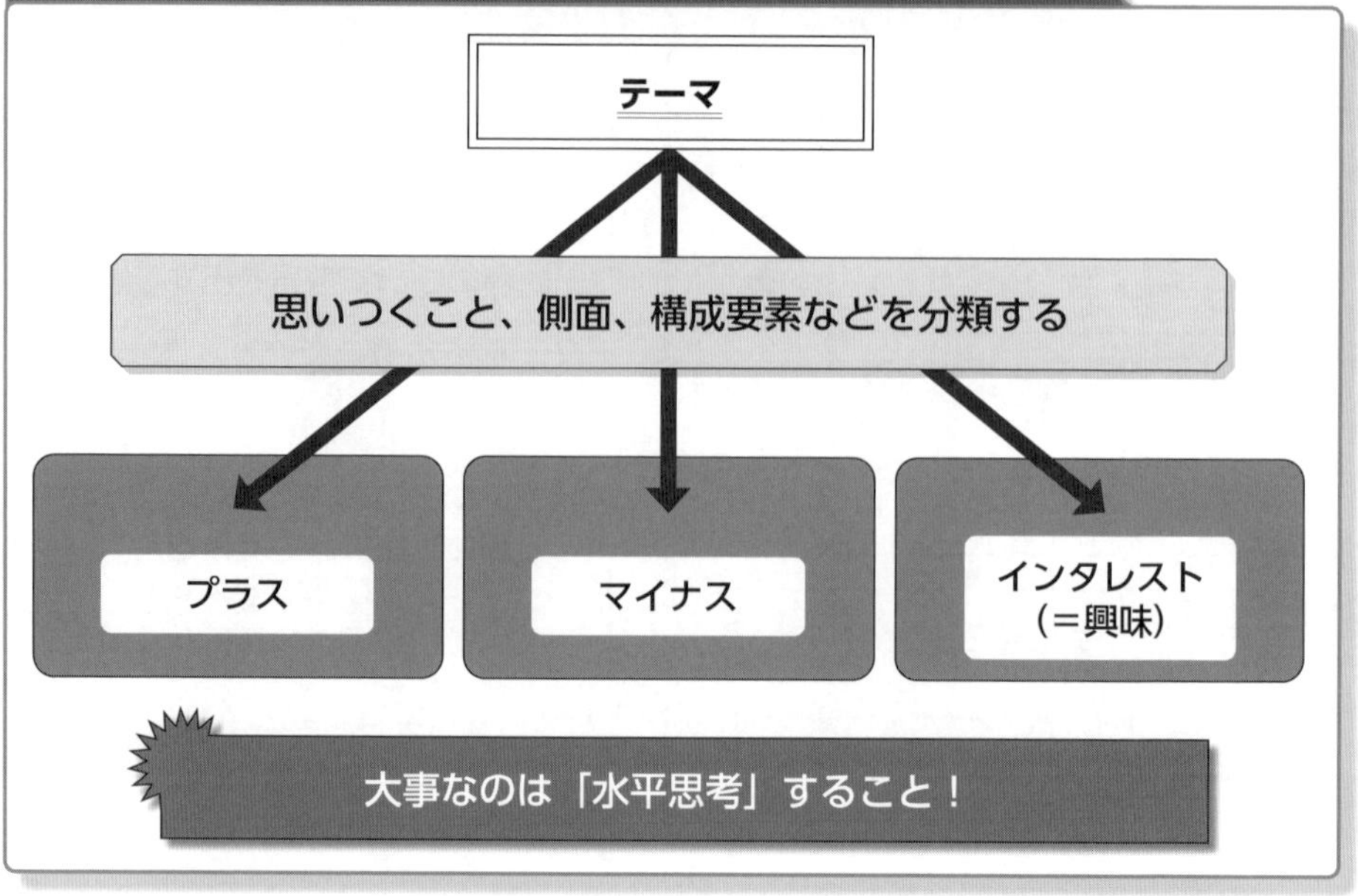
テーマ
思いつくこと、側面、構成要素などを分類する
プラス
マイナス
インタレスト
（＝興味）
大事なのは「水平思考」すること！

・マイナス（M、悪いと思うところ）

・興味（I＝インタレスト、興味深い、疑問、何か心に引っかかると思うところ）

の名札をつける。

その上で、先に決めたテーマについて思うところを挙げていき、それが三つの箱のどこに入るか……と仕分けていくのである。一つ一つ仕分けてもいいし、思いつくだけ一気に書いてから仕分けてもいい。

基本的にはシックスハット法と同じで、自分が無意識に考えていることを整理して水平思考ができるようになる。こちらのほうがよりシンプルなのが特徴だ。

SCAMPER法

一つのアイデアについて深く深く考えていきたい、あるいは長年大事にしてきた物語に対して柔軟な視点を持ちたいと考えた場合には、「ＳＣＡＭＰＥＲ法」が役に立つ。

これはもともとブレインストーミングの発案者として知られるオズボーン氏が考案した「オズボーンの

チェックリスト」を原型とする。

オズボーンのチェックリストは、九つのチェックポイントに基づいてターゲットを再確認しようと試みる発想法だ。すなわち、「転用」「応用」「変更」「拡大」「縮小」「代用」「再編成」「逆転」「結合」である。

これをボブ・エバールという人物が整理してSCAMPER法とした。そこに内包されるチェックポイントは次の七つである。

①S＝Substitute：代用
（他のアイデアと置き換える）
②C＝Combine：結合
（他のアイデアと組み合わせる）
③A＝Adapt：応用
（似ているアイデアや過去のアイデアを使う）
④M＝Modify：変更
（アイデア内の要素を変更する）
⑤P＝Put to other uses：他の用途
（別の用途に使う）
⑥E＝Eliminate：削除
（余分なアイデアを削除する）
⑦R＝Reverse・Rearrange：逆転・再構成
（順番や組み合わせを変更する）

一見するとこれは製品やサービスについての考え方で、創作には有効でないと思うかもしれない。しかし、そんなことはない。

「この物語の主人公やヒロインは別のキャラクターにしたほうがいいのではないか？」（代用）

「別のジャンルの要素をもらってきたらうまくいくのではないか？」（結合）

「前に考えたアイデアを使えないかな……」（応用）

「キャラクターの属性や能力を変更したらスマートにテーマにつながるんじゃないかな」（変更）

「漫画のほうが向いてるんじゃないかな？」（他の用途）

「活躍できないキャラクターは消そう」（削除）

「主人公やヒロインを別のキャラクターにしよう」（逆転・再構成）

以上はあくまで一例だ。各チェックポイントについて、それぞれ別の発想を導き出すことができるだろう。

SCAMPER法

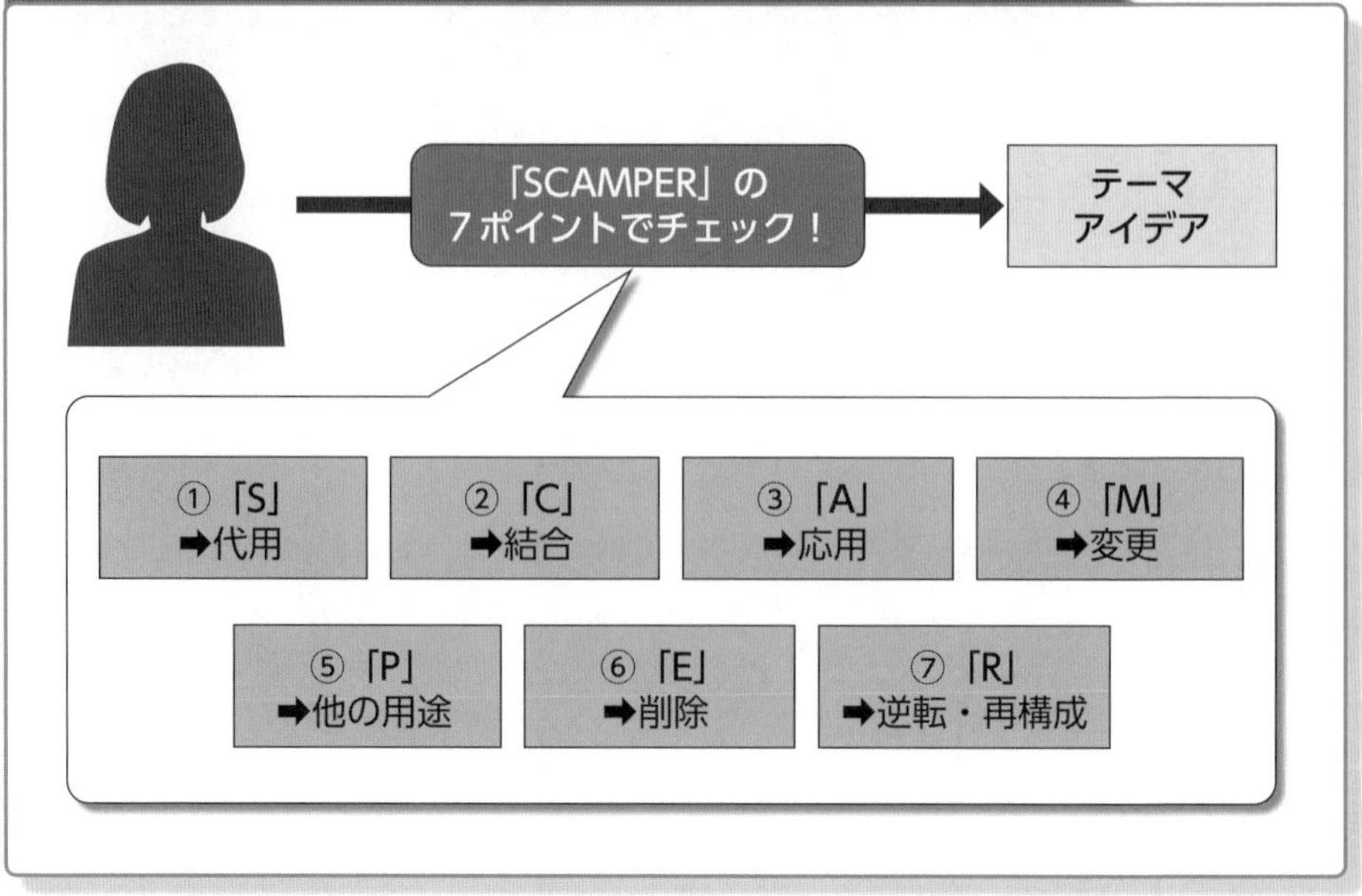

「SCAMPER」の
7ポイントでチェック！
テーマ
アイデア
①「S」
➡代用
②「C」
➡結合
③「A」
➡応用
④「M」
➡変更
⑤「P」
➡他の用途
⑥「E」
➡削除
⑦「R」
➡逆転・再構成

ビジュアル的な発想法

発想を広げたいがブレインストーミングは手がかりが弱くて思いつかない、という人も多いだろう。そのため、発想法にはある種連想ゲーム的に、手がかり足がかりを次々新しく作りながらアイデアを出していくものが数多く見られる。その中でもエンターテインメントのクリエイターたちがしばしば使っていることで知られるのが、いわゆる「マインドマップ」である。これは極めてビジュアル的な手法といえる。

マインドマップは白紙スペースの中心に最初の取っ掛かりになるアイデアあるいはテーマを書き込むことから始まる。これに関係するアイデア、あるいは答えを思いついたら、矢印を伸ばしてそれを書き込む。さらに派生していくアイデアがあるはずだから、さらに矢印を伸ばす――これを繰り返して発想を広げていくのがマインドマップである。

紙にペンで書き込む形でも成立するが、パソコン上で動くソフトウェア・アプリケーションに便利なものが多いので、一般にパソコンを使うことが多い。

マインドマップ

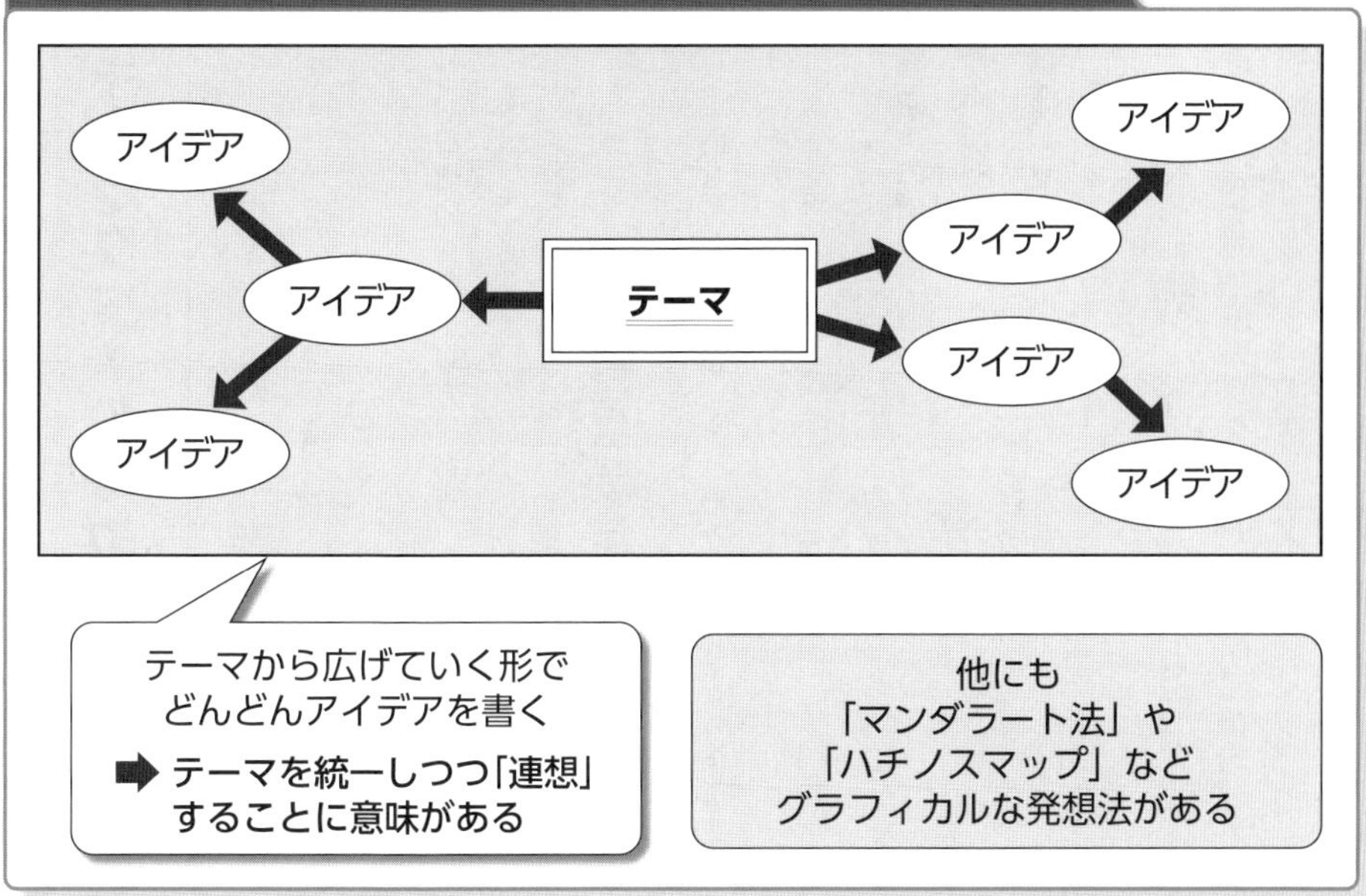
テーマ
アイデア
アイデア
アイデア
アイデア
アイデア
アイデア
アイデア
テーマから広げていく形で
どんどんアイデアを書く
➡ テーマを統一しつつ「連想」
することに意味がある
他にも
「マンダラート法」や
「ハチノスマップ」など
グラフィカルな発想法がある

このように作図しながらアイデアを周囲に広げていく手法は他にもある。

例えば「マンダラート法」。これはまず九分割した図の真ん中に検討するべきテーマを書くところから始まる。その上で、周囲の八つのマスに関係するアイデアを書くのだ。ブレインストーミングやマインドマップと違い「八つ書く」と数が決められていることで「どうにかこの白い部分を埋めねばならない」と刺激する力がある。

また、マンダラート法は拡張性が高い。出てきた八つのアイデアそれぞれを別の九分割図の中心に書き、「ここからさらに八つのアイデアを出そう」と考えることができる。出てきたアイデアすべてについて、二度同種の作業を繰り返すことによって導き出されるアイデアは、八の三乗。すなわち五一二である。これは流石に理論上にもほどがあるが、そのくらい拡張性が高いという一例だと思ってほしい。

ただ、マインドマップにせよ、マンダラート法にせよ、ただの連想ゲームにしてしまっては意味がない。テーマやコンセプトを強く意識することは忘れずに。

TOPIC

キャラクターのためのアイデア発想法

キャラクターを作る時には、どんなふうに発想していけばいいのか。本書では、主に二つのやり方を推奨する。

一つは構造的なやり方、もう一つは細部から詰めていく手法だ。

構造的手法

構造的なやり方では、キャラクターを三つの要素に分けて理解しようとする。

①物語上のポジション
②性格類型
③職業、立場

この三つの枠にどんな要素を入れ込むかによって、大まかに「そのキャラクターはどんな存在なのか」が決まる。

つまり、「物語の中で主役なのかヒロインなのか脇役なのか、脇役でも味方なのか敵なのか正体不明なのか」「障害が立ちはだかったらどんな対応をするのか、迷ったらまず何をしようとするのか、など言動のベースになる性格はどんなものか」「どんな能力や事情を持っているのか」が決まるわけだ。

この手法については榎本事務所制作『増補改訂版物語づくりのための黄金パターン117 キャラクター編』（DBジャパン）で詳しく紹介し、また三種の要素についてもそれぞれ具体例を多数収録しているので、ぜひこちらを手にとっていただきたい。どんなポジションや性格や職業があるのか、なるべく創作の役に立つように解説したつもりだ。

とはいえ、「物語上のポジションと、性格と、職業や立場の三つの要素に分け、その組み合わせによってキャラクターを考えるといいよ」というだけでも十分にヒントにはなるだろう。

キャラクターの細部を考える

もう一つのやり方は、詳細から詰めていく手法だ。

大人気バトル漫画『ジョジョの奇妙な冒険』シリーズ著者の荒木飛呂彦が自ら実践し、また自著『荒木飛呂彦の漫画術』（集英社新書）でも紹介しているキャラクターメイクの手法に、「架空の履歴書を書く」というものがある。

この手法はそれなりによく知られたものだ。そのキャラクターの履歴書を書くことで、物語開始時点に至る経緯や、構造的に考えている時には思いもよらぬような詳細部分まで考えることになり、キャラクターに深みが出るのである。

履歴書は市販のものを買ってきたりインターネット上で探したりしてもいいものだが、どうせならより細かいところまで突き詰めてほしい。普通履歴書には書かないような趣味やら好きな食べ物やら平日の過ごし方といった細部まで選択肢にあると、キャラクターを作る時に非常に便利だ。

都会生まれと地方生まれ、肉好きと魚好き、インドア派とアウトドア派、どんな漫画が好きか……こうした要素が人間の性格に影響を与えうる。これは「こういうのが好きってことはこんなタイプのキャラクターなんだろうなあ」と発想するための要素でもあるし、「あれ、俺はなんでこのキャラクターをこういう趣味にしたんだろう。……そうか、こういう性格や過去があると無意識に考えていたからそうしたんだな」と発見するための要素でもある。

そこで、本書ではキャラクターのパーソナリティーに関係する細かい質問に答えるやり方を提案する。次のページを見てほしい。

これをコピーし、思いついたところ、書けるところから書いてみてほしいのである。「どこで生まれてどういうふうに育って今どうなっているか」という履歴書的な要素も盛り込んでいるので、使い勝手もいいはずだ。

なお、質問の種類や数についてはいろいろ考えられるが、本書では六十の質問を用意した。「自分ならこれはいらない」「こういうのが欲しい」と思ったら、ぜひオリジナルで質問リストを作ってみてほしい。

タバコは吸う？	
他の嗜好品は嗜む？	
薬は苦手？　大丈夫？	
信仰はある？	
人間は死んだら どうなると思っている？	
オカルト（魔法やUFO） は信じる？	
生まれて育ったのは どんな場所だった？	
小さい頃は どんな子だった？	
家族構成は？	
これまでに起きた 一番印象的なことは？	
今の仕事は？	
経験した仕事は？	
特技は？	
運動（スポーツ）はやる？	
ゲームはやる？	

キャラクターへの質問 60 ①

名前は？	
親はどんな気持ちを 込めて名付けた？	
年齢は？	
性別は？	
誕生日と星座は？	
他人からは 何座に見られる？	
血液型は？	
他人からは 何型に見られる？	
他人からの第一印象は？	
自分はどんな性格？	
他人から言われる 性格は？	
癖、口癖はある？	
好きな食べ物は？	
苦手な食べ物は？	
お酒は飲む？	

お金の貸し借りは どう思う？	
好きな女性のタイプは？	
好きな男性のタイプは？	
苦手な女性のタイプは？	
苦手な男性のタイプは？	
新しいものは好き？ 嫌い？	
恋人は何歳？ どんな人？	
付き合った人の人数は？	
嬉しいと思う時は？	
怒ってしまう時は？	
悲しいと思う時は？	
楽しいと思う時は？	
許せない相手っている？	
一番大切な人は誰？	
一番大切な人との 過ごし方は？	

キャラクターへの質問 60 ②

スマホやパソコンはどう使う？	
友人や仲間、家族と頻繁に連絡を取る？	
他に、暇つぶしに何をやる？	
動物好き？	
趣味は？	
家事はできる？	
今、どんなところに住んでる？	
きれい好き？汚くても平気？	
お金持ち？	
愛用の道具は？	
好きなファッションは？	
好きな色は？	
好きな有名人は？	
嫌いな有名人は？	
犬と猫どっちが好き？	

TOPIC

キャラクターのポリシーと動機

キャラクターについて考えるにあたって、前項では二つの「キャラクターの作り方」を紹介した。しかし、キャラクターを構成する重要な要素はまだ他にもある。本項では「ポリシー」と「動機」という二つの要素に絞って、ここで紹介する。

キャラクターのポリシー

好かれるキャラクターを作りたい。どうしたらいいだろうか。そのあり方はさまざまだが、「行動の目的がはっきりし、筋が通っている」は定番であろう。

そのために必要なのは「キャラクターにポリシーを与える」ことだ。ここでいう「ポリシー」はキャラクターの信念・信条・方針のようなものと考えてほしい。

- **そのキャラクターは何を大事にするのか。**
- **何がしたいのか（どういったあり方でいたいのか）。**
- **彼（彼女）にとって譲れないものは何か。**
- **彼（彼女）はどんなことに喜怒哀楽を感じるのか。**

といったことなどだ。

これがはっきりしなくては、キャラクターはその時その時の状況に流されやすい存在になってしまう。

そのためにも、キャラクターに問いかけることをおすすめする。

キャラクターの動機は？

キャラクターの「動機（何がしたいのか）」はポリシーの中に含まれるものでもあるが、魅力的なキャラクター、生き生きとしたキャラクターを作ろうと思ったら、これが一番重要になる。というのも、動機がはっきりすると、キャラクターの判断や行動に説得力が出るからだ。

以下、物語のキャラクターが持っていそうな、代表的な動機をいくつか挙げてみる。

快楽／愛情／金銭／安全／復讐／忠義・忠誠／権力／自由／名声／贖罪／理想・正義／修行・成長

ここから、一つ一つ説明してみよう。

・快楽

楽しいこと、気持ちのいいことを求めたい、という気持ち。ただこれは非常に幅広い言葉なので、はっきりいえばこの後紹介するさまざまな目的・欲望・欲求のほとんどが入ってしまう。

例えば、権力を振るうことが気持ちがいい、戦うことが気持ちがいい、お金が貯まっているのを確認するのが気持ちがいい、などである。

だから、快楽を目的にするキャラクターであるなら、「何をしている時が楽しいのか」をしっかりと定めるべきだ。

・愛情

人に恋心を持ち、また愛することが動機になっている。

愛情を動機とするキャラクターは大きく二つの評価基準で分けることができる。

一つは「愛したい（愛してる）のか」「愛されたい（愛されてる）のか」。

一つは「特定個人への愛なのか」「多数への愛なのか」。

愛されたい＋多数なら、それはただただ「モテたい」ということだ。愛している＋個人なら、家族や恋人のために何かをしようとしている、ということだ。

もちろん愛情というのは複雑な感情だから、他にもさまざまなバリエーションがあり得る。無償の愛情もあれば、「愛してはいるが、見返りも欲しい」ということもある。愛する相手を己のもとに縛り付けねば気が済まないこともあれば、愛するがこそ縛り付けたくない、自由に生きてほしいということもある。

どちらかといえば、愛情は執着や束縛とセットになるケースのほうが多そうだ。ある種の父親が妻や子どもたちの自由な行動を認めないのも、愛がゆえということが珍しくない。ストーカーの愛情も同種であろう。迷惑だが当人にとっては愛なのだ。

・金銭

お金が欲しい、というのもシンプルかつメジャーな動機であろう。

普通に考えれば金銭欲はさらなる目的につなげるための「手段」であるはずだ。つまり、何か欲しいものがあるから金が欲しい、何か必要があるから（借金の返済、愛している人にプレゼントをして振り向いてほしい、など）金が欲しい、というはずだ。

ただし、金を貯めることそのものが快楽である人、銀行の預金の数字が増えていったり、家の金庫に金が貯まっていったりすることに気持ち良さを感じるという人も、実はそんなに珍しくはない。普通に考えれば目的と手段が逆転しただけだが、しかし金銭にはそれだけの魔力がある。

・安全、現状維持

今の状況を守りたい、金や命や人間関係を失いたくない、という気持ち。

これはもしかしたら一番メジャーな動機、目的かもしれない。人間は自然に安定を求める生き物だ。「今このままでいたい」「何も失いたくない」「これ以上の痛みや苦しみや悲しみなどを感じたくない」と思っていない人間を探すほうがおそらく難しい。ただし、これらの感情はたいてい無意識の中で感じるものなので、意識していない人のほうが多い。

自分は先進的で新しいものを取り入れる人間だ、現状に退屈を覚えているという人も、実は無意識の中では今あるものを失いたくない（新しいものを手に入れるためには今持っているものを捨てねばならないのに、そのことを理解できておらず、新旧両方とも手に入れられると思っている）ケースは非常に多い。

こう書くと、大人や老人の動機と思うかもしれない。しかし、積み重ねたものが少ないはずの若者も、既に手に入れたものに執着するケースは珍しくない。実際、青春ものエンタメではしばしば「今この学生生活が心地良い、人間関係が心地良い、だから卒業したくない」というような葛藤が題材になっている。

キャラクター描写の際に意識してほしいのだが、「客観的な数字は必ずしも人間の行動を左右しない」のである。「老い先短い老人は、もうすぐ死ぬからと命への執着を手放しはしない。むしろ短いからこそ執着する」ことがよくある。

・復讐

なんらかの損害を被った人が抱く、取り返したい、それが駄目ならせめてやり返したい、という感情。

神話・伝説の時代から現在のエンターテインメントまで、復讐をメインテーマにした作品は多い。それだけ（ドラマチックな物語につながるような）人間が行動する動機として復讐はメジャーだ、といえる。

復讐には「やりすぎ」がつきものだ。世界最古級の法律として名高いハンムラビ法典の「目には目を、歯には歯を」は、「目をやられたなら相手の目以上はやってはいけないよ」というやりすぎを禁じる法律だ。

ある時期「復讐は虚しい」「復讐をしても得るものはない」「復讐は非生産的な行動だ」「復讐しても自分が新しい復讐のターゲットになるだけだ」という主張が流行ったが、近年はそのカウンターとして「復讐には意味がある。しっかり復讐してこそ、新しい人生を歩むことができる」「復讐を終わらせてから虚しかったと言ってやる」などの主張もよく見られるようになった。

奪われたものを「取り戻す」復讐なのか、やられたから「やり返す」復讐なのかは、全体の雰囲気を思いのほか左右する要素だ。多くの場合、「取り戻すつもりだったけれど、もはや取り戻せないことを知り、せめてやり返す」という展開になって、虚しさがつきまとう。

・忠義・忠誠

個人あるいは組織に従い、その命令で動く。あるいは従っている誰かあるいは何かのプラスになるために動く。

これも「快楽」「金銭」と一緒で、もう一段階踏み込まないとリアルな形で描写できない動機だ。つまり、「その忠義・忠誠は何のためのものか」という問いかけが必要なのである。

普通、忠義・忠誠は「そうすることによって得られるものがあるから」捧げるものだ。多くの場合は金銭である。「金の切れ目が縁の切れ目」というのは薄情でもなんでもなく当たり前のことだ。
かつて鎌倉時代の武士たちは「御恩と奉公」といった。これは「普段恩を受けているから、いざという時は奉公しなければ」などというふわっとしたあり方ではない。ここでいう「御恩」は「土地の所有を認めてもらっている」ことだ。その代わりに武士たちは戦の時には一族郎党を率いて命をかけ戦う。逆に言えば、武士に土地所有を許可する（他の奴らから権威で守ってくれる）力がなくなれば、主君はあっという間に見限られる。

戦国時代というのは、武士のトップがいなくなり、誰も土地所有許可をくれないから、「じゃあ俺の土地は自分で守らないと」「ついでに周りの奴らの土地も俺のものだ」と動き出した時代、ということになる。

一方、見返りがなくとも（あるいは見返りがあやふやでも）観念として「細かいことは関係なくとにかく上位者には従うものだ」という忠義・忠誠もある。太平の時代、平和の時代、上位者の力が強すぎる場合にこういうことが起きやすい。このケースでは、しばしば盲目的に主人に従っていたキャラクターが、「この主人にこれ以上忠誠を捧げてもいいことがないのでは」「一身を捧げても、自分が求めていたもの（安定した生活など）は返ってこないのでは？」と気付き、反逆を起こすことがある。

・権力

政治、行政など、組織や集団の力を欲しいままにしたいという気持ち、動機。

権力の気持ちよさは、他人や集団を自由に動かせる、という征服の快楽にある。一人の人間の腕力で従わせられる人間の数には限界があるが、権力であればその範疇は格段に広がることになる。「従わせたい」という気持ちは、時に人を驚くほど強く突き動かす。

権力という動機は先天的についてくる（「俺は総理大臣になってこの国の頂点に立つのだ！」）こともあれば、後天的に浮かび上がることもある（「政治家として人の役に立ちたい！」→「政治家の権力がなければ俺など何の価値もないのでは？　これを失いたくはない……」）。後者のあり方はあくまで一例だが、政治家の堕落を理解する助けにはなるのではないか。

権力は他者を従わせる力だから、その持ち主はしばしば孤独だ。「主人と従者」という関係性を作りがちだからでもあるし、また、自分の権力を求めて友人や家族が裏切る可能性があるからだ。仲良しこよしの権力者はけっして存在しないわけではないが、ちょっと作りものめいた印象を与えやすくはある。

権力はいかにして求めるのか。武力や財力によって他者を従わせて求めるもの。学問によって試験を突破して求めるもの。血筋によってもともと権力を持つものがさらなる力を求めることは多い。他にどんな道筋があるだろうか。

・自由

自由は安定の反対側にある動機である。自由でありたい、束縛されていたくない、そのためには自分の不安定な状況をも受け入れる（この覚悟は人によるだろうが）という気持ちであるからだ。

自由を動機に持つキャラクターは、なぜそうなったのであろうか。過去に束縛されたことによって強烈なトラウマを持つものもいれば、単に束縛や安定が気持ち悪くて仕方がないというものもいる。あるいは「口だけの自由」ということもあるだろう。安定した暮らしを持ちつつ追加でちょっとした自由を求めて、既婚者なのに浮気を始める男、のようなものだ。

また､自由に生きるというのは難しいものでもある。神様でもない限り、この世のすべてから自由というわけにはいかない（酸素の必要性、重力の束縛から自由になれていたら、もう人間ではなくて超人だ！）。そこまで行かなくとも、たいてい法律には従っているだろう。自由な無法者は、国家権力やもっと強い無法者がやってきた時に、真っ先に潰される可能性がある。

だから、自由を動機とするキャラクターを主人公格として描くのであれば、自由の代償や自由への覚悟もしっかり描いてほしい。

・名声

有名になりたい、多くの人に自分の名前を知ってほしい、というのも非常にポピュラーな動機だ。

人間は社会的な動物である、という。つまり、社会につながっていて、役立っているという実感を得られることが満足や快感になるのだ。金持ちが啓蒙活動やボランティアに勤しむのにはこういう背景がある。その点で、「誰もが自分を知っている」名声を持った人は、自分が社会につながっているという強い実感を持つことができるわけだ。

ただ、名声にはプラスの名声だけでなくマイナスの名声、いわゆる悪名もある。これは楽しめる人と楽しめない人がいる。多くの人は悪名を楽しめない。精神の平衡を崩してしまうほうが普通だ。

だが、悪名を楽しめる人は、なんらかの犯罪を行い、それによって自分がマスメディアやインターネット上などでマイナスに言及されることをむしろ快感に覚えることがある。国家が彼を追い、彼の行動に対して反応すること、また模倣犯などが現れること、そのものが快感になる人間はいるものだ。

・贖罪

何かしらの罪を犯してしまった（それは社会的に認定されたものかもしれないし、あくまでキャラクター自身が感じているだけかもしれない）キャラクターが、それを償おうと行動すること。

贖罪は非常に難しい。被害者がいる場合はその被害者が満足するまで続けるしかなくなってしまうが、この満足というものはそう簡単に訪れるものではないからだ。人によっては贖罪の気持ちにつけ込んで無限の奉仕を求めることもあろう。

無限の贖罪にならないようにするために国家は犯罪に対して相応の罰を設定している。それによって贖罪がなされたということにしているわけだが、被害者だけならまだしも、社会や世間がさらなる罰を求めることがある。これはインターネットの普及によってさらに苛烈になった。

贖罪のために何をするのか、そしてそれはどこをゴールにするのか。これは物語の中でかっちりと決まっていてもいいが、物語が進む中で揺らいでいってもいいだろう（ただしこれは大きなお話を作る時のためのテクニックである）。

・理想・正義

社会のあり方、世界のあり方に対してなんらかの不満や許せないもの（己の理想と食い違うもの）を感じ、これを正すことが正義であると信じて行動する。

理想や正義はさまざまな形で表れる。

「ゴミが溢れている町は良くない」から「ゴミを拾う」

「困った人が助けられない町は良くない」から「人を助ける」

「不正がはびこる国は良くない」から「自分が政治家になって変える」あるいは「汚職官僚や悪人を殺して回る」あるいは「革命を起こす」

「異教・邪教を信じている地域があってはならない」から「強引に改宗させるか、皆殺しにする」

この中には皆さんが理想だ正義だと素直に受け取れるものもあるだろうし、そうでないものもあるだろう。しかし理想や正義というのはそういうものだ。人類皆が納得できるものはまずない。

理想や正義を心から信じている人は強い。迷わないし、躊躇わないからだ。だが狂信状態になってしまうと、善を信じて悪をなしてしまうことがある。

また、理想や正義（のように思えて、実は偏った主張）を煽って権力や金銭などの欲望を叶えようとするものも少なくない。「信じている」のか「信じたふりをしている」のかは重要だ。

・修行・成長

己をより良い存在にしようとすること。

この動機は金銭に似ている。本来は道具として、さらなる目的を達成させるためになす手段だが、手段と目的が逆転することが珍しくない。金銭そのものの魅力にとらわれることがあるように、修行すること、成長することそのものが快感になってしまうケースだ。

特に身体を動かすタイプの修行は苦しいが、苦しいからこそ脳内麻薬が出て、気持ちよくなって、病みつきになるということもある。あるいは鍛え抜いた身体の美しさに魅惑されてしまうのか。

以上、思いつく限りキャラクターの動機になりそうな要素を並べてみた。もちろん、これ以外の動機もあり得るだろう。ぜひ、探してみてほしい。

TOPIC

ストーリーのためのアイデア発想法

ストーリー。この言葉を本書では「その物語の中でどんなことが起きるか」の意味で使う。エピソードやイベントの集合体、と考えてもらえば分かりやすい。

つまり、「ストーリーのための発想法」とはどんなイベントやエピソードがその物語に起きたら面白いかを考えるためのやり方、ということである。より大まかな「物語全体を考え、その構成を吟味する手法」については別項で紹介するので、ご了承いただきたい。

三題噺の発想

ストーリーを考えるための古典的な手法に、「三題噺」がある。

三題噺は落語の即興芸だ。その場にいる客から三つのお題をいただき、そのうち一つを落ち（下げ）に使うという条件で落語を演じる。芸としての三題噺そのものは現代になって廃れているが、即興で話を作るフォーマットとしてしばしば創作の訓練などで用いられる。

誤解されがちなのだが、三題噺は「なんでもいいから三つのお題をもとに話を作る」というスタイルではない。三つのお題は必ず、

①場所
②もの
③人物

でなければならない。

ストーリー創作支援フォーマットとしての三題噺が優れているのはこの点だ。三つの種類の違う要素が提示されるから、

「どうしてその人はそんな場所にいるのかな」
「どうしてそのものはそんな場所にあるのかな」
「どうしてその人がそんなものと関わるのかな」

と考えて、

「実はこういう事情があったんじゃないかな」
「こういうことが起きるんじゃないかな」

と設定やエピソードを思いつくことができる。

これが「場所」「場所」「場所」や「もの」「もの」「もの」、「人物」「人物」「人物」であればどうか。発想の取っ掛かりを得られない人が多いだろう。もちろん、思いつくこともあるだろう。ただ、種類（属性）が違う要素の関係性を考える形のほうが、イメージは湧きやすいのである。

「芝浜」

即興落語としての三題噺は既に紹介した通り廃れているが、三題噺で作られた演目は今でもいくつか残っている。例として一つ紹介しよう。

演目として残る三題噺の代表例が、三遊亭円朝作と伝わる「芝浜」だ。幕末から明治にかけて活躍し、近代落語への道を切り開いたとされるこの名人は、「芝浜、財布、酔っ払い」という三つのお題から次のような物語を即興で語ってみせた、という。

「芝浜」

腕はいいが酒びたりの魚屋が、ある時女房に叱られて朝早く芝の市場に出る。しかし早すぎたので浜を歩いていると大金の入った財布を見つけた。

魚屋は大喜びで宴会をするが、目が覚めてみると拾ったはずの財布がない。夢だったのかと落胆し、そこから心機一転酒を絶ってバリバリ働いて大成功するのだった。

数年後の大晦日、女房が神妙な顔で大金を出す。実は女房はあれを盗んだ金ではと思い、あの時の財布を内緒で奉行所に届け出た。しかし実際には拾っただけであり、持ち主も見つからず、財布は夫婦のところに戻ってきたのである。

女房は謝罪するが、魚屋は感謝する。女房は久しぶりに酒を勧め、魚屋は一旦飲もうと思うが、
「よそう、また夢になるといけねえ」
と飲まないのであった――。

というわけで、場所＝「芝（の）浜」で、もの＝「財

布」を拾った人物＝「酔っ払い」の物語である。

円朝がどんなふうに三つのお題から物語を作ったのかは分からないが、おそらくは「どうして芝の浜に酔っ払いがいるのか」「酔っ払いが財布を拾ったらどうなるか」というところから連想を進めたのではないか。

芝の魚市場から魚屋を職業として設定し、酔っ払いが財布を拾ったらそれはもちろん宴会を始める。酔っ払いの魚屋が拾った財布の金で宴会をしたら、何が起きるか——女房はさぞ心配するに違いない。そんな連想・発想から「芝浜」という名作が生まれたのだと推測できる。

ぜひ皆さんも友人からもらったお題や、あるいはランダムから連想したお題（本書末項のアイデアジェネレーターも使える）から、三題噺を試してほしい。見えてくるものがあるはずなのだ。

5W1Hの発想

もう一つ、創作に役立つ枠組みとして「5W1H」がある。

この言葉自体は多くの人が聞いたことがあるだろう。情報を整理する際に基本的要素とみなされるものの頭文字で、

- **時間（いつ＝When）**
- **人物（誰が＝Who）**
- **場所（どこで＝Where）**
- **動機（なぜ＝Why）**
- **行動（何を＝What）**
- **手段（どのように＝How）**

を示す。これはそのまま一つのシチュエーション、あるいは誰かの行動を示す文章になる。

5W1Hは多様な利用法があるが、ここではシチュエーションを作るための枠組みとして活用する。

つまり、この六つの枠になんらかのワードを入れることによって文章（シチュエーション）を作り、それをきっかけとして物語を連想するのである。

たいていの場合、5W1Hから作り上げられた文章はストレートには解釈できない、よく分からないものになるはずだ。「高校生が山の中で鍵を探す……？

なんでだろう」「総理大臣が渋谷でどうするの？」とよく分からない文章ができるだろうが、そこに理由をこじつけ、話を作っていこうと努力することで、発想力を鍛えるいい訓練になる。

ただ、5W1Hをそのままやると本当に意味不明なことになってしまって、そもそも訓練にならない可能性もある。そこで二つほどおすすめの手法がある。

一つは、キャラクターと世界設定のどちらかあるいは両方を固定することだ。今自分が作っている、あるいは作ろうとしているキャラクターや世界設定を決めてしまい、他の要素をいろいろ変えてみるのである。これをやると、

「この状況ならこのキャラクターはどんなふうに行動するかな？」

「この世界でこういう出来事は起きうるかな？」

と考え、掘り下げることができるわけだ。

もう一つのやり方として、H（どのように）は外して5Wでやるというのもアリだ。というのも、「そのキャラクターはどのようにしてそんなことをしたの？」というのは、クリエイターにとって腕の見せ所であるとともに全体の辻褄を合わせられるポイントでもあるからだ。ここが決まっていると自由に物語を作れなくなって苦しみがちなので、あえて空ける、というわけである。

具体的にはどうやって使うか。

まず想定しているのは、三題噺のようにお題を他人にもらうことだ。友人などに六つのワードについてそれぞれ思いついたものを答えてもらって、そこからできた文章を物語にできないか、考えてみよう。

お題がもらえないこともあるだろう。そんな時は自分で考えればいい。部屋の中で目に付いた単語、本をパッと開いて見えた単語、あるいはTVやインターネットなどで目に入った単語を当てはめていく。

あるいは、ランダムに要素を決める道具を使う手もある。先に紹介したような、キャラや設定を固めているケースなら、リストを作って数字を振り分け、サイコロを振ってもいい。行動や動機は「探す」とか「お金」とか適当なリストを作るというのもアリだ。また、本書末項に収録したアイデアジェネレーターのカードも大いに活用してほしい。

三題噺シート

場所：

もの：

人物：

3つのワードから発想して、物語を作ってみよう

5W1Hシート

時間（いつ＝ When）

人物（誰が＝ Who）

場所（どこで＝ Where）

動機（なぜ＝ Why）

行動（何を＝ What）

手段（どのように＝ How）

5W1H から発想して、物語を作ってみよう

TOPIC

世界のためのアイデア発想法

世界設定の特別な事情

ここまで、キャラクターとストーリーを中心に発想するやり方を見てきた。物語の三大要素はキャラクター、ストーリー、世界設定であり、その中心にテーマがある。

テーマは既に本書冒頭で触れているから、最後は世界設定（あるいは舞台設定。現代ものなど、オリジナルの世界を創造しない場合でも、史実や現実のどこを切り取ってくるのか、そこにどんな人々を配置するのか、ということを考えねばならない。これは世界設定と同じことだ）だ、ということになる。

ところが、これが少々難しい。三大要素の中で、世界設定はちょっと特殊な立場にあるのだ。はっきりいえば、「世界設定から物語を考えるのはあんまりおすすめしない」とさえ思っている。

それはなぜか。

単純にいえば、キャラクターに魅力を感じて作品に触れる読者、ストーリーに興味を覚えて手に取る読者は相当数いるが、世界設定から入ってくる読者はあまりいない、ということがある。キャラやストーリーに比べて、世界設定の面白さは奥が深いが、逆に言えば少々地味だ。

ところが、魅力的な世界設定を作るのは（一部の例を除いて）手間がかかる。現実の歴史と重なるような設定を丁寧に組み立てるのにはたくさんの知識が必要だし、矛盾がないように、整合性があるように作るのには気を使う。世界設定に興味があるタイプの読者は細かいところも気にするから、彼らから好印象を引き出すためにはさらに心を砕く必要がある。――結論として、割に合わない、ということになる。

世界設定を作り込みたい人に

ただ、例外が二つある。

一つは、単純にあなたが世界設定を作り込むのが好きなタイプの時だ。「好き」というのは創作を楽しむにあたって非常に重要なポイントである。

ただでさえ創作というのは辛く苦しい。長編一冊分の小説を書き上げるにしても、読み切り一本分の漫画を書き上げるにしても、長い時間と大変な手間がかかる。それなら、楽しいやり方を避ける必要はない。アイデアを思いつくまま、世界設定から作ればいい。

その時は、「思いついたアイデアの九割は実際の執筆では捨てる」くらいの気持ちでいることをおすすめする。あなたが世界設定を作るのが好きなタイプであればあるほど、「作りすぎてしまう」可能性が高いからだ。現代的なファンタジー小説の元祖的存在と目されるJ・R・R・トールキンの『指輪物語』などはまさにそのようにして書かれた小説の典型で、物語に出てこない設定が山ほどある。

もう一つ、あなたが作ろうとしているものが小説や漫画などではなく、ゲームの類いである時も、世界設定から始めるのはけっして悪くない手だ。

どういうことか。

小説や漫画、あるいはアニメなどは、作り手から受け手への一方通行で成立するエンターテインメントだ。しかしゲームは違う。作り手は舞台とシステムと選択肢を用意し、受け手はその中である程度自由に遊ぶことができる。小説などでも「行間を読む」「書かれていないことを想像する」楽しみはあるが、自由度においてゲームは比べ物にならない。

このような場合において、世界設定という器、プレイヤーが自由に遊べる舞台が魅力的になるよう心を配ること、徹底的に作り込むことには大きな意味がある。だから、世界設定中心で作っていくのも悪くない、というわけだ。

最初の一歩から広げよ

では具体的に、どこから世界設定を発想していこうか。切り口は二つある。

一つは、世界設定をあまり重視しない人のためのやり方だ。多くの人はこちらを選べばいいだろう。

まず、「なんとなくどんなイメージかな」と考えよう。これが全体を貫くコンセプト（方針）の、最初の一歩になる。

「荒野を闊歩する怪物やシステム化された魔法などがある、ゲーム的な剣と魔法のファンタジーがいいな」

「史実の中世ヨーロッパ色を強めたファンタジーにしよう」

「ワープ航法で宇宙船が銀河を飛び交うスペースオペラ！」

「現代日本の平凡な地方都市なんだけど、実は秘密があって……」

これらの発想は多くの場合、ストーリーあるいはキャラクターが先にあって、そこからの要請から生まれたものであるはずだ。

であれば、考えることは、「自分の考えるキャラクターはどんな世界で生まれたのだろうか、どんな世界で活躍できるだろうか」「このストーリーに適している、都合のいい世界はどんな世界だろうか」ということになる。

また、世界そのものも「まったくオリジナルなものを作ろう！」という発想よりも、「何かのエンタメで見た世界か、史実のどこかの時代・地域の『ものっぽい』ものを、自分のキャラクターやストーリーにふさわしく変えていこう」という発想になるはず。そして、それでいいのである。

つまり、世界設定（あるいは舞台設定）はキャラクターやストーリーから派生する要素であり、それらを輝かせるための土台なのである。こう考えると、世界設定づくりが苦手な人も気楽になるのではないか。

また、そうして考えていく中で、具体的なイメージも湧いてくるはずだ。それは例えば、

「世界の危機に立ち向かう話なんだから、具体的な危機が必要なのはもちろん、その危機がいつ頃現れたのか、人々がそれをどのくらい知ってるのか、これまでどう立ち向かってきたのかが必要だよな」

といった形である。そのようにして発想を広げていけば、物語を作るのに十分な世界設定を作り上げることができるはずだ。

次にもう一つ、世界設定から作っていく人のためのやり方だ。こちらについては、「出発点となるアイデアを決め、そこから広げていく」やり方をおすすめする。

例えば、こんなアイデアがありそうだ。

「剣と魔法のファンタジーなんだけど、魔法をちょっと一味変えたいな」

「人を襲うモンスターがいて、脅威だけど資源でもある世界を、徹底的にリアルに作り込みたい」

「個性もあるけど『ありそう』な学校をしっかり作り込んで読者にリアリティを感じてほしい」

この段階ではどのアイデアもあまり具体的ではない。そこで「では、具体的にどんなことになるか？」と考えを進めていく。

一味違う魔法とはどんなものだろうか。ゲーム的でシステマチックな魔法が定番だから、その逆にあやふやで危険な、神話的な魔法だろうか。あるいはシステマチックな特性をさらに突き詰めて、プログラムのような魔法だろうか。歌や芸術のような要素を付け足そうか。「魔法」とは名ばかりで実は力任せだったりするのだろうか……。

この中のどのアイデアを採用するにしても、他の世界設定に大きな影響を与える。魔法が多く「あやふやで危険なもの」であるなら、世間が魔法と魔法使いに向ける目も相応のものになるはずだ。人々は身を守るために魔法使いを遠巻きにし、近づいてくるのはもはや魔法使いに頼るしかない人か、何か企んでいる人か。そんな状況であるなら、魔法使いのほうも人格的にスレてくるはず……。という具合である。

どちらの場合でも大事なのは、「最初の一歩」をはっきりと見定めることだ。なぜここにこだわるのかといえば、世界設定が他の物語要素と比べて膨大かつ複雑になりがちであるからだ。

本書で繰り返し紹介していることではあるが、何か大きな物事に取り掛かる時にぼんやりと「とりあえずなんとかなるだろう」と取り掛かると、いったい何をすればいいのか見失いやすい。そこで、ブロックに切り分けるなどの工夫が必要になる。

世界設定の場合、一つ一つの要素が絡んでくることが多い。例えば、

「主要な穀物が米である」
↓「米は南方の暖かい場所以外では育ちにくい」
↓「物語の舞台は南方、アジア的な場所」

↓「米は麦と比べてたくさんの人を養うことができる」↓「人口が多い」↓「人口が多いと家畜による労働や機械よりも人力に頼りがち」

このように、複数の要素が絡み合うことで「世界」は成立している。その中の一つを変えた「だけ」では、どうにも違和感があるものになりやすい。

例えば、「昔からジャガイモがあるヨーロッパっぽい地域というのは分かるけど、それにしてはこの人口は少なすぎない？　ジャガイモが支えられる人口を思えばもっと多いほうが自然では」という具合である。

そのため、まずは第一歩を見極め、そこから影響を広げながら考えていくのが良いのだ。

ディティールも広げる

ここまで、「発想を広げる」ことを紹介してきた。もう少し掘り下げていきたい。

世界設定のディティールにおいても、発想を広げることが必要だ。どういうことか。

魔法がある現代、宇宙人がいるのが当たり前になっている近未来、ネットワークがあまねく世界を覆い尽くしてあらゆるものがハッキングできるような日本——そういう世界を描こうとする時、現実と違う特別な要素「だけ」を描写しようとすると、物語が面白くなりにくいのである。というのも、特別な要素だけを描写していくと、地に足のついた描写、生活感のある描写にならないからだ。

どうしたらいいのか。特別な要素によって変化した人々の暮らしや価値観にこそ発想を広げるのだ。

例えば、「翼のある人が当たり前にいる社会なら、住居、家具、ファッションが変わるはずだ」「夜に怪物が闊歩する社会なら、人々の文化も私たちの知るものとは違っているだろう」といった具合だ。

ファンタジーやSFの魅力はこの点にこそある……と言ったら言いすぎかもしれない。しかしその面白さのかなりの部分が依存する重要なポイントであることには間違いない。

大きな部分にせよ、ディティールにせよ、このように発想を広げるためのシートを用意したので、活用してほしい。

世界設定シート

その世界の特別な要素。現実との違い

①人々の生活はどう変わる？

②人々の価値観、考え方はどう変わる？

③世界の光景（町の中や外の様子）はどう変わる？

④どんな事件が起きる？

TOPIC

発想に役立つ枠組み

ここではストーリー、キャラクター、世界設定など多様な要素を当てはめて使える発想用の枠組みを紹介する。発想力の訓練にも、あるいはネタ出しに詰まった時などにも活用してほしい。

各発想法ごとにシートを用意したので、本文の内容を参考にしつつコピーしたシートの問いかけに答える形で回答してみよう。

「あり得ない」

発想の基本に、「現実では（普通に考えたら）あり得ないような何かを考える」がある。普通にあるものは物語の題材にしても面白くなりにくい。普通ならまず存在しないようなもの・こと・ひとであるからこそ、ギャップによって面白さが爆発するし、物語にする価値もあるのだ。

例えば、こんなのはどうだろうか。

- **ハーレムものなのに異性皆に振られる**
- **ミステリなのに探偵が途中で死ぬ**
- **ホラーの怪物が全然襲ってこない**
- **ヒーローとヴィランがなあなあの関係**
- **おじいさんおばあさんばかりが通っている学校**
- **呼んで助けてもらうのにお金がかかる警察**
- **出入り自由の刑務所**
- **お金を出したほうが勝つ裁判所**
- **神さまが働いている役所**
- **勇者の足ばかり引っ張る「喋る聖剣」**
- **臆病者で引きこもりの魔王**
- **敵も味方もまとめて吹っ飛ばすだけの魔法**
- **回復しすぎて身体が変化してしまう薬**

すべて、現実にはけっしてあり得ない、あるいは普通だったらそうなるはずがないものばかりだ。

大事なのは、これらあり得ない要素を「どんなふう

4つの発想法

ネタに詰まった時、発想を柔軟にしたい時、何かプラスワンが欲しい時。
4つの発想法のうちどれかを試してみるのもいい

あり得ない

せっかくの物語で
「あり得る」ことは面白くない。
「あり得ない」からこそ面白い。

➡ **要素・性質を反転させる**

勘違い

ちょっとした勘違いから大騒動、
というのは物語の定番

➡ **世の中にはどんな勘違い、間違いがあるだろうか**

悲劇と喜劇

喜劇と悲劇は実は隣り合わせ。
同じものだったりする

➡ **1つの物事の喜劇的側面、悲劇的側面に注目**

願望

アーコフの方程式の通り
「こうだったら」は面白い

➡ **単に実現させるだけではつまらない**

にしたら面白くなるだろうか」と考えることだ。しばしば勘違いされるのだが、ただあり得ないだけでは面白くならない。むしろ「普通こうなるよね」「こうあるべきだよね」というベタな要素をひっくり返すことで「あり得なく」しているのだから、そのまま物語に盛り込んだら「普通に」つまらなくなるのが道理である。

　そこで、次のようなポイントに着目してほしい。

- **どうして普通ではなくなったのだろうか**
- **普通でないことでどんな変化が起きるのだろうか**
- **そこからどんな物語が生まれるだろうか**

　なんでもいいからあり得ないことを考えてみた！ではなく（それはそれでブレインストーミングのお題としては面白いが）、「あり得なさ」をしっかり捉え、魅力的な物語にする。それが必要なのだ。

勘違いの発想

「あり得ない」と同じくらい物語の中でよく出てきて

笑いを誘うシチュエーションに、「勘違い」がある。

Aだと思ったらBだった、Bだと思ったらCだった……「勘違い」は実生活の中でもいくらでも起きることだが、物語の中でもしばしば発生し、活用される。笑いにもつながりやすい。

例えばこんな勘違いがありそうだ。

- **父の仇だと思ったら違った**
- **悪人だと思ったら違った**
- **正義の組織だと思ったら違った**
- **ストーカーだと思ったら違った**

思い込みがすぎる場合もあれば、一方が隠しているせいですれ違ってしまうこともあるだろう。勘違いしたせいでピンチになる、勘違いによって手を結べていたけれど真実が分かったので対立するというシリアスな展開ができる。双方が勘違いしたせいでなんだかおかしくなるコミカルな展開もできる。あるいは、最初は勘違いだったけれどやがて絆が結ばれ、真実がどうでもよくなるというパターンだって成立しうる。

後者のパターンで有名なのはお笑いコンビ「アンジャッシュ」のコントだ。二人ともごくごく真面目に話しているのに、ひどい勘違いをしているせいで、傍から見ている観客からするとひどく滑稽なことになってしまう、というのが基本だ。

例えば二人とも先生と呼ばれているが、一方は小学校の先生で、一方は小児科の先生。この二人が「手のつけられない子」というキーワードで話すと、前者は「性格が悪くどうしようもない」の意味で解釈するが、後者は「病気が重く何もしてあげられない」と受け取る二人の会話は行き違う……という有様だ。

これはやっぱり複数の意味を持つキーワードがあるから面白いのだ。他に、どんな言葉が同じような特性を持っているだろうか。それを生かしてどんな勘違いをさせたら面白いだろうか。

一つの言葉が複数の意味を持って勘違いさせて……というシチュエーションが一番起きやすいのは、やはり方言であろう。次のような言葉が誤解を発生させやすい方言の一例として知られている。

・「投げる」
↓北海道では「すてる」の意
・「だいてください」
↓富山では「出してください」の意
・「しんで」
↓愛知では「しないで」の意
・「しね」
↓岡山では「しなさい」の意
・「えらい」
↓香川では「疲れた」の意

あなたの地元には、標準語だと別の意味になって誤解を招いてしまう方言はないだろうか。

同種の現象は外国語との間でも起きる。この種の話はどうもセクシャルな言葉であればあるほど有名になるようで、南太平洋バヌアツの「エロマンガ島」、オランダの地名「スケベニンゲン（スヘーフェニンゲン）」、あるいはイタリア語で「カツオ」が男性器を示すことなどが雑学としてよく知られている。

また、どんな問題で勘違いさせるのがいいだろうか。問題が真剣なものであればあるほど、ギャップで面白くもなる。あるいは、シリアスな感情が爆発して大アクシデントにもなりうる。考えてみてほしい。

悲劇と喜劇は表裏一体

喜劇王チャールズ・チャップリンの名言として知られる言葉の一つに、「人生は近く（クローズアップ）で見れば悲劇だが、遠く（ロングショット）から見れば喜劇だ」というものがある。

例えば、恋人を失って道端に倒れ伏し、身も世もなく泣き崩れる女性がいる、とする。彼女の近くでそのさまを見れば、それはまごうことなく悲劇だ。もらい泣きをする人もいるだろう。

しかし、遠くから見ればどうか。この場合の「遠く」は物理的な意味でもあるし、同時に関係性の意味でもある。彼女がなぜ泣いているのか知らぬまま遠くから「おや、道端でわんわん泣いている人がいるぞ」となれば、滑稽に思えてしまうのではないか。

一つの物事がアングルを変えれば悲劇にも喜劇にもなる——つまり発想の柔軟さと切り口がいかに重要か

を紹介した言葉といえる。

ここではこの視点を用いて、悲劇を喜劇に、喜劇を悲劇に作り変える練習・発想法を紹介する。

考え方は簡単。先程の「倒れて泣いている女性」と一緒だ。悲劇的、あるいは喜劇的状況を思い浮べよう。その上で頭の中でカメラを動かすのだ。ものの見え方はどのように変わっただろうか？

思いつかない人は、次のようなサンプルシチュエーションを発想の取っ掛かりにするとよい。

- **孤立してしまい、最後の賭けに出るしかないと決意を決めた人（悲劇）**
- **強い訛りがあって、何を話しても人に伝わらず誤解されてしまう人（喜劇）**
- **対立する集団に所属するせいで切り離されてしまった恋人たち（悲劇）**
- **異世界に勇者として転生するはずが、女神の気まぐれでモンスターになってしまった（喜劇）**

これらを見るだけで、勘の鋭い人は「ははあ、なるほど」と思い当たるところがあるはず。悲劇とされる出来事も客観的に見たり、あるいは隠されている真相を想像したりすれば（彼女は本当に彼に恋しているのかな……？）喜劇になり得るし、逆に喜劇的シチュエーションも本人たちの身になってみれば「こりゃあとても笑ってられんぞ」ということになる。ちょっと頭を働かしてみてほしい。それがあなたの発想力を刺激することになる。

願望

発想を導きやすいテーマ、また多くの人の興味を引く力として、「願望」がある。書き手、読み手、あるいは登場人物たちの「こうだったらいいな、こうなりたいな」という願望が投影・実現される物語だと思ってほしい。これらのパターンは伝統的に人気がある。物語の中で描かれるだけでも読者には気持ち良さがあるし、そうでなくともドラマチックさを生み出す力があるからだ。

「願望」の物語はしばしば「落ちもの」パターンと結びつく。つまり、主人公の願望を叶える役割を持ったキャラクターがある日突然「落ちて」来るところから始まるわけだ。願望を叶える力を持った不思議なキャラクターに、普通の登場はふさわしくない。空から落ちてきたり、最初の出会いは夢の中だったり、死んだ主人公を救う形で現れたりするわけだ。

典型的なのは藤子・F・不二雄の『ドラえもん』である。彼は机の引き出しの中を未来へつながる不思議な空間に変えることで登場し、主人公ののび太の願望を不思議な「ひみつ道具」で叶えてみせる。

願望の物語を書く時に大事なのは、「本当にそのまま願望を叶えてしまうと物語としては面白くなりにくい」ことだ。

例えば、「無双」や「俺ツエー」などと呼ばれるジャンルがある。主人公が世界最強クラスの力を持っているなどの背景から大活躍する物語で、「最強になって大暴れしたい！」という非常にポピュラーな願望を叶えたパターンである。

では、本当に最強で、苦戦せず終わる物語は面白いだろうか。そうはならない。実際にはもっと強い敵が出てきて苦戦したり、最強の力が制限されていたり、活躍するための前提条件があったりする。強いからこそ苦しむパターンもある。

つまり、単純に願望が叶って嬉しいというより、

「願望が叶っても主人公は喜べない（書き手の願望ではあっても、主人公の願望ではない、など）」

「願望の叶い方が不完全である」

「願望が叶ったことでデメリットも出た」

としたほうが物語としてドラマチックになりやすいのである。

一例として、ぢゅん子『私がモテてどうすんだ』を紹介する。これは「ぽっちゃり腐女子の主人公はイケメンたちを見て妄想をする日々を過ごしていたが、ある時突然痩せた美少女になってしまい、イケメンたちからアプローチを受ける。しかしそれは本人にとっては不本意なことであった」というお話だ。

「突然美少女になってイケメンに言い寄られたい」は白馬の王子様シンドローム的でポピュラーな願望だが、あまりにもあからさまで、正面からは扱いにくい。そこで、「読者の願望だが主人公の願望ではない」パターンになっているわけである。

「あり得ない」

ステップ１：メインテーマは？

ステップ２：テーマから属性・要素をピックアップする

ステップ３：属性や要素を正反対にする

ステップ４：物語を作る

「勘違い」

ステップ１：やったことのある勘違い、間違い、記憶違いを思い出す

ステップ２：スケールを広げたり、要素を置き換えたりして物語を作る

「悲劇と喜劇」

ステップ１：悲劇あるいは喜劇といえば何を思いつくか

ステップ２：「距離を変え」たらどんなふうに変わるか

ステップ３：そこから物語を作れないだろうか？

「願望」

ステップ１：子どもの頃に抱いたことがある願望は？

ステップ２：その願望が叶った世界はどんな世界？
あるいは、主人公が叶えてしまったらどうなってしまう？

まとめ：アイデア発想法あれこれ

目的と状況に合わせてさまざまな発想法を使いこなしたい。
ただぼんやりと考えるよりも、なんらかの指針があった上で
手を動かしたほうが絶対に効率がいい！

ビジネスマン向けの発想法

多様な発想法を状況、好み、用途に合わせて使いこなそう

アイデアが出てこない！

「ブレインストーミング」で一心不乱にアイデアを出したり、「マインドマップ」で連想ゲームを試みたり
↓
脳を刺激する

アイデアが整理できない！

「KJ 法」でグラフィカルに整理したり、「PMI 法」「シックスハット法」「SCAMPER 法」で柔軟な考え方をしたり
↓
多様な視点で分析

キャラクター

構造的に考える　詳細から詰める

or

動機・目的も大事！

ストーリー

古典的な「枠組み」を活用しよう

三題噺　5W1H

世界設定

世界設定をメインで作っていく人も、そうでない人も
↓
「きっかけ」から広げていくことが大事

その他

あり得ない　勘違い

悲劇と喜劇　願望

Chapter 03

ストーリーを取りまとめる

アイデアは出てきた。さあ、物語を作ろう……といってすんなり作れるなら皆苦労はしないはず。どこから手をつけたらいいか分からない、どうしたら面白くなるか分からない人が多いだろう。

そこでここではいくつかのテンプレートを用意し、アイデアをはめ込むことで創作の最初の一歩が踏み出せるようにした。

TOPIC

テンプレートで物語を作る

創作テンプレートの意味と意義

ここからはいよいよ実際に物語を作っていく手法について紹介する。

ここでは「テンプレート」を用いた手法を中心に、皆さんがなるべく詰まらず、困らず、迷わず書けるようなやり方を模索する。

さて、そもそもテンプレートとは何か、と思う人もいるかもしれない。この言葉そのものにはいろいろな意味があるが、本項ではとりあえず定型文のようなものだと思ってほしい。時候の挨拶などの時に、あなたや相手の名前をはめ込むだけで、無難な文章が書けるようになるアレだ。

創作におけるテンプレートは、あなたが考えた物語要素をはめ込むことで創作支援となるフォーマットのことを指す。といっても、定型文のようにたやすく物語が作れるようになる……というのは期待しないでほしい。エンターテインメントにおける物語というのは非常に複雑なもので、テンプレートがあれば作れる、というものではないからだ。

では、何のためにテンプレートがあるのか。それは発想を整理する助けにするためだ。どこから手を付けていいのか分からなくなったり、自分が次に何をするべきか見失わないようにするのが目的である。その点で、本書に収録したいくつかの創作用テンプレートは、既に紹介したブレインストーミングやKJ法などに似ている。その役目は、あくまであなたが物語を作る助けにすぎない。

このようなテンプレートの必要性を感じたのは、榎本事務所メンバーがさまざまな専門学校やカルチャースクール、あるいはワークショップなどで講師を担当させていただくようになってからだ。

創作の力は素質と環境、経験に大きく左右される。「物語を作って」と言えば他に何も言わずともスラス

5つのテンプレート

要素を当てはめて物語を作る基礎のテンプレート５つを使いこなして、
自分の作りたい物語を掘り下げていこう

テンプレート①
そもそもどんな物語なのか？
↓
一番シンプルな形

テンプレート②
誰に向けたどんな話なのか？
↓
メタフィクション

テンプレート③
最低限必要な要素を一通り考える
↓
思いつくところから

テンプレート④
キャラクターにどんな目的があるのか
↓
対立を作る

テンプレート⑤
主人公に目的がなくとも物語は作れる
↓
プロフェッショナル型

ラ書き出せる人もいれば、いったいどうすればいいのか分からなくなって途方に暮れてしまう人も少なからずいる。後者の人に創作の才能がないわけではない。ただ、初めの一歩を踏み出せないだけなのだ。しかしテンプレートがあればそのような人でも物語を作ることができる。

また、テンプレートはすべての人に有用とは限らない。テンプレートがむしろ創作の足かせになってしまう人もいる。そこで本項ではフローチャートを用意し、テンプレートの使い方だけでなく、あなたにとって適切なテンプレートの選び方をも紹介していくこととしたい。

テンプレートが必要な人、そうでない人

物語づくりの第一歩は、思いついたものをなんでもいいからどんどん書いていくことだ。ブレインストーミングやブレインライティングのやり方に似ている。

白紙に書いていくのが望ましいが、パソコンでテキストファイルや文章ファイルに箇条書きにしていくのでも構わない。大事なのは、頭の中にあるアイデアを

外へ出していくことだ。

これだけで物語を作れる人には、テンプレートは必要ない。どんどんお話を作ってほしい。

テンプレートが必要なのは、

・紙いっぱいに詰め込んだアイデアをどれだけ見つめても、物語の形に取りまとめることができない人

・そもそも何を書けばいいかよく分からなくて途方に暮れる人

なのである。

テンプレート①「どんな話?」

まず、アイデアはどんどん出てくるのだけれど、話をどんなふうにまとめればいいか分からない人へ。あなたにはテンプレート①に挑戦してほしい。題して「どんな話?」。

これは三つの質問で構成されている。つまり、

1:誰が、
2:どんなことをして、
3:どうなる物語ですか?

である。

この三つの設問に答えてテンプレートを埋めると結果は、

「この物語は『人物』が『行動』をして『結果』になるお話です」

になるはずだ。

この短い文章を、「物語の背骨」と呼ぶ。物語の最小単位、いらない要素を削るだけ削って最後に残ったあらすじである。背骨がしっかりつかめているということは「この物語はどんな物語か?」が分かっているということだ。

であれば、先程白い紙あるいはテキストファイルにたっぷり書き込んだアイデアの中からどれを選べばいいのか、あるいはどのアイデアを捨てればいいのか、もうあなたには分かっているはずだ。ぜひ、物語を作っていってほしい。

その際、KJ法のようにアイデアごとにグループを

作ったり、矢印で関係性を結んだりすると、さらに整理しやすくなることだろう。

テンプレート②「マーケティング」

次に、いろいろとアイデアは書けたのだが、テンプレート①に書けるようなこと、つまり物語全体を貫く背骨が見えてこない人に。

あなたにはテンプレート②に挑戦してほしい（アイデアが書けない人もちらっと見てこれならいけるかも、と思ったら挑戦してほしい）。これは次の質問で構成される。

1：読者（ユーザー）ターゲットは？
2：どんな場所で発表するつもり？
3：分量（ページ数あるいは放映時間やプレイ時間）はどのくらい？
4：物語の雰囲気は？

このテンプレートはコンセプトの項で紹介したような作品外の事情、メタ的な要素からアプローチすることを目的としている。

あなたが今から作り上げるような物語は誰に向けて作るものなのか。どこに発表するものなのか（なんならお金はどのくらい取るものなのか）。そして何よりも、あなたの作品を読んで（見て、聞いて、プレイして）どんな感想を抱いてもらいたいのか。

これでコンセプトが決まる。そうしてコンセプトさえ決まれば、先ほどあなたが書いた大量のアイデアの中に、「今回使えるもの」が浮かび上がってくるはずだ。あるいは「このアイデア好きなんだけど、今回のコンセプトには合わないなあ。とりあえずストックしておこう」「最近見た映画に影響されてるアイデアあるなあ……あの映画では面白かったけど、私には使いこなせないや」などとアイデアを排除していけば、自然と今回使えるもの、使いたいアイデアが残るはず。

あとは、改めてアイデアとにらめっこするだけだ。必要ならテンプレート①も使おう。「物語の背骨」は「コンセプト」及び「テーマ」との相性もいい（コンセプトやテーマを実現するのにふさわしい背骨を考えればいいので）のでおすすめだ。

テンプレート③「全体要素」

そして、テンプレート①も②も埋めることができない、あるいはそもそも最初の段階でアイデアをたくさん書き込むことができない、という人へ。そんなあなたのためのテンプレートが③だ。これは名付けるなら「全体要素」である。

1：どんな場所が舞台で
2：どんなキャラが主人公やヒロインで
3：どう始まって
4：どう展開して
5：どう終わるか

これはストーリーを軸としたものの中で一番シンプルなテンプレートだ。物語の盛り上げとか、メタフィクション的な事情とか、そのような複雑なことは全部一旦脇において、「とりあえず物語を構成するのに最低限の要素」だけを並べた。複雑なことは分からないよ、という人はまずこれに挑戦してほしい。

テンプレート④「目的を持つ主人公」

ここまでが、いろいろな要素からストーリー中心で物語を作っていこうという試みである。しかし、どうにもうまく作れない、話が思いつかない、という人もいるはずだ。そこでテンプレート④「目的を持つ主人公」は方向性を変える。キャラクターから物語を考えてみよう、というものだ。

そもそも、漫画、小説、アニメ、ゲーム、ドラマ。エンターテインメントの世界においては、キャラクターは非常に重要視される。魅力的で個性的なキャラクターを作り上げることができれば、それだけで競争相手から一歩も二歩も先んじたようなものだ。

だが、それだけではない。極端なことを言えば、「ストーリーとはキャラクターの魅力を引き出すためのもの」とさえいえる。ならば、「このキャラクターを活躍させるための物語は何か」と考えればいい。

ただ、一つ問題がある。主人公キャラクターを軸に物語を分類すると、

・成長型（変化型）主人公の物語
・プロフェッショナル型主人公の物語

に分かれる。この二つにはそれぞれ別のテンプレートが必要なのだ。

前者は分かりやすい。文字通り、主人公が物語の中で成長していく話だ。物語が始まった時に単純に実力がなかったり、未熟だったり、仲間が少なかったり、実績がなかったり、自分の弱さを認められなかったりするキャラクターが、作中で起きるさまざまな出来事を経て成長する、ということになる。

成長もののいいところは、必ず「物語の最初と最後で明確な変化がある」ことだ。当たり前じゃないかと思うかもしれないが、これが重要なのである。読後感に深く関わってくる。

ストーリーを通して変化がない物語は終わった後にどうしても徒労感が残る。読み終えてスッキリしないし、何かを得たという感覚が薄くなる。主人公たちが頑張った分だけ、ドタバタがあった分だけ、何かが変わってほしいというのが人情である。始まった時にはなかったものが生まれているように、始まった時には見えなかったものが見えているように、終わった時点ではなっていてほしいのだ。

夢オチが嫌われやすいのはこの点が大きい。「すべては夢の中のことであって現実ではない」「だからどんな事件が起き、どれだけキャラクターたちがひどい目にあったとしても、夢から覚めたらすべて元通り」というのは便利だが、あまりにも便利すぎる。そのせいで、読者の側も「それが許されるならなんでもありじゃないか」という気分になる。それでは緊張感も緊迫感もあったものではない、というわけだ。そこで、例えば夢の中の出来事でも現実になんらかの影響を与えていたり、「実はあれは本当のことだったのではないか……？」と匂わせる手法が使われたりする。

そういうわけで、キャラクターが目的を達成する（結果として成長や変化もある）話が分かりやすい。ただ、単にキャラクターの目的が達成されるだけではお話があまりにもシンプルになりすぎる。であれば、二つの目的が衝突するような構成であればいい、ということで次のようなテンプレートにした。

1：主人公にはどんな目的があるか？
2：主人公の前に立ちはだかる障害（敵）は何者で、何を目的としているのか？
（敵は直接戦うライバルでも、陰謀をめぐらす黒幕でも、集団・組織でもいい。社会の空気や制度などの障害であることもあるだろう）
3：主人公の目的と障害（敵）はどんな形でぶつかるのか？
（主人公の始めた新しい商売と競合するので、ライバルが嫌がらせを仕掛けてくる、など）
4：ここまでの内容を元にあらすじを作ってみる

主人公と障害（敵）の目的を決めるには、「キャラクターのポリシーと動機」の項が参考になるはず。

テンプレート⑤「プロフェッショナル主人公」

では、プロフェッショナル型の主人公というのはどういうキャラクターで、どんな物語になるのか。

これは既に成熟した精神や技術を持っていて、物語の中で大きく成長や変化をしないタイプだ。殺し屋とか、探偵とか、スパイとか、そういうタイプのキャラクターを想像してもらうと分かりやすい）。彼らはどちらかと言うと自身に強烈な目的を持っていないことが多い。成長要素も薄めだ。

そこで、多くの物語では「依頼人」や「助けられるキャラ（ヒロイン）」を用意し、そちらに成長や変化、目的を設定するテクニックが使われる。そこを意識したのが最後のテンプレート⑤だ。

1：主人公はどんな立場なのか？
（本人に動機があると良い）
2：依頼人やヒロインの目的・事情は？
（欲しい物があるのか、命が危ないのか）
3：主人公や依頼人を妨害するのはなんなのか？
（テンプレート④と同じ発想で良い）
4：ここまでの内容を元にあらすじを作ってみる

ここもやはり「キャラクターのポリシーと動機」の項が参考になるだろう。

基礎的テンプレートの意味

ここで紹介したテンプレートのいいところは、「とりあえず話が作れる」ということだ。物語の盛り上がりはこの時点ではあまり重視していない。もちろん、ちゃんと理由がある。

榎本事務所では日々たくさんのクリエイター志望者たちと付き合い、彼や彼女がどうしたら望み通りのクリエイターになれるかに頭を悩ませている。そうしているとやはり見えてくるものはあるもので、クリエイター志望者たちに共通する特性がいくつかあると考えるようになった。その一つが、(悪い意味での)完璧主義である。

良い意味での完璧主義は大いに創作の助けになる。細かいところまでしっかり作り込んだ作品を作り上げることへつながる。ただ、私たち榎本事務所メンバーの見てきた限り、悪い側面が出ることがどうも多いようだ。プロットを完璧に作り上げようとすることにこだわっていつまでたっても作品を作り上げようとしなかったり、細部がしっくり来ず何度も何度も作り直したり、という具合である。

完璧を目指すことは大事だ。しかしそれより優先すべきは、その時その時のタイミングでできること、やるべきことをしっかりやることだ。自分の力の及ばぬところでまで完璧を目指す必要はない。

もっと言えば、悪い意味の完璧主義はある種の「手抜き」として発現することが多いようだ。つまり、「後々になって手を加えるのは面倒臭い」→「初めから完全な作品が作れれば問題ないよね?(だから何度も書き直す)」

のようなことがしばしば、しかも一事が万事でさまざまな局面に見られるように思うのである。

それでは創作力の上昇には寄与しない。迷ったり悩んだり手を抜いたりで何もできず足踏みするよりは、その時点でできることをしっかりこなしていったほうがはるかにいい。それに、一度物語を完成させると、「これは面白くなりそうだ」「これは良くない」と、なんとなくバランスが見えるようになってくる。そうしてステップを踏んで物語を作っていったほうが、最終的な創作力の向上になるのだ。

テンプレート①「どんな話？」

タイトル：

①誰が

②どうして

③どうなる

テンプレート②「マーケティング」

タイトル：

①ターゲット

②どう発表する？

③ボリューム

④雰囲気

テンプレート③「全体要素」

タイトル：

①舞台

②キャラクター

③どう始まる？

④どう展開する？

⑤どう終わる？

テンプレート④「目的を持つ主人公」

タイトル：

①主人公の目的

②障害（敵）

③なぜぶつかるのか？

④あらすじ

テンプレート⑤「プロフェッショナル主人公」

タイトル：

①主人公の立場

②ヒロインの事情

③障害（敵）

④あらすじ

TOPIC

応用の考え方

テンプレートの応用

基礎をこなしたら次は応用だ。

ここからは、面白い話にしたい、受け手が笑ったり楽しんだり喜んだりと心を動かされるような話にしたいという皆さんの要望に応えて、基礎から一段階進んだ物語づくりを提供したい。

まず一つ、分かりやすいのは基礎テンプレートに手を加えることだ。テンプレート①はあんまりにもシンプルすぎるから付け加えることはないかもしれないが、他のテンプレートは違う。

テンプレート②では、メタフィクション的に気をつけることは他にもあるのではないか（創作小説サイトをターゲットにしているなら、売れ線のネタを検討する、など）。

テンプレート③はストーリーを三つのブロックに分けて考えているが、これをもっと多くのブロックに分けることもできるのではないか（ワークで紹介している起承転結やヒーローズジャーニーはその一例だ）。

テンプレート④と⑤ではキャラクターの目的と絡めて成長・変化が重要だと説明したが、これも必ずしも絶対の話ではない。例えば低年齢層向けの作品など、童話的だったり、ギャグ・コメディ色が強かったりと、リアリティレベルが低めの作品ではこのようなポイントはあまり気にされない。

長い期間継続される作品では、俗に「サザエさん現象」と言われるような、「物語の中で時間は経過しているはずなのに主要人物たちが歳をとらず、学校を卒業したりもしない」お約束がしばしば存在し、これをパロディにして笑いを取るのはもはや定番化した感がある。

また、思春期・青春がテーマの作品では「変化したくない」「成長したくない」という若者たちの気持ちが物語の中心に位置付けられることもある。社会の停

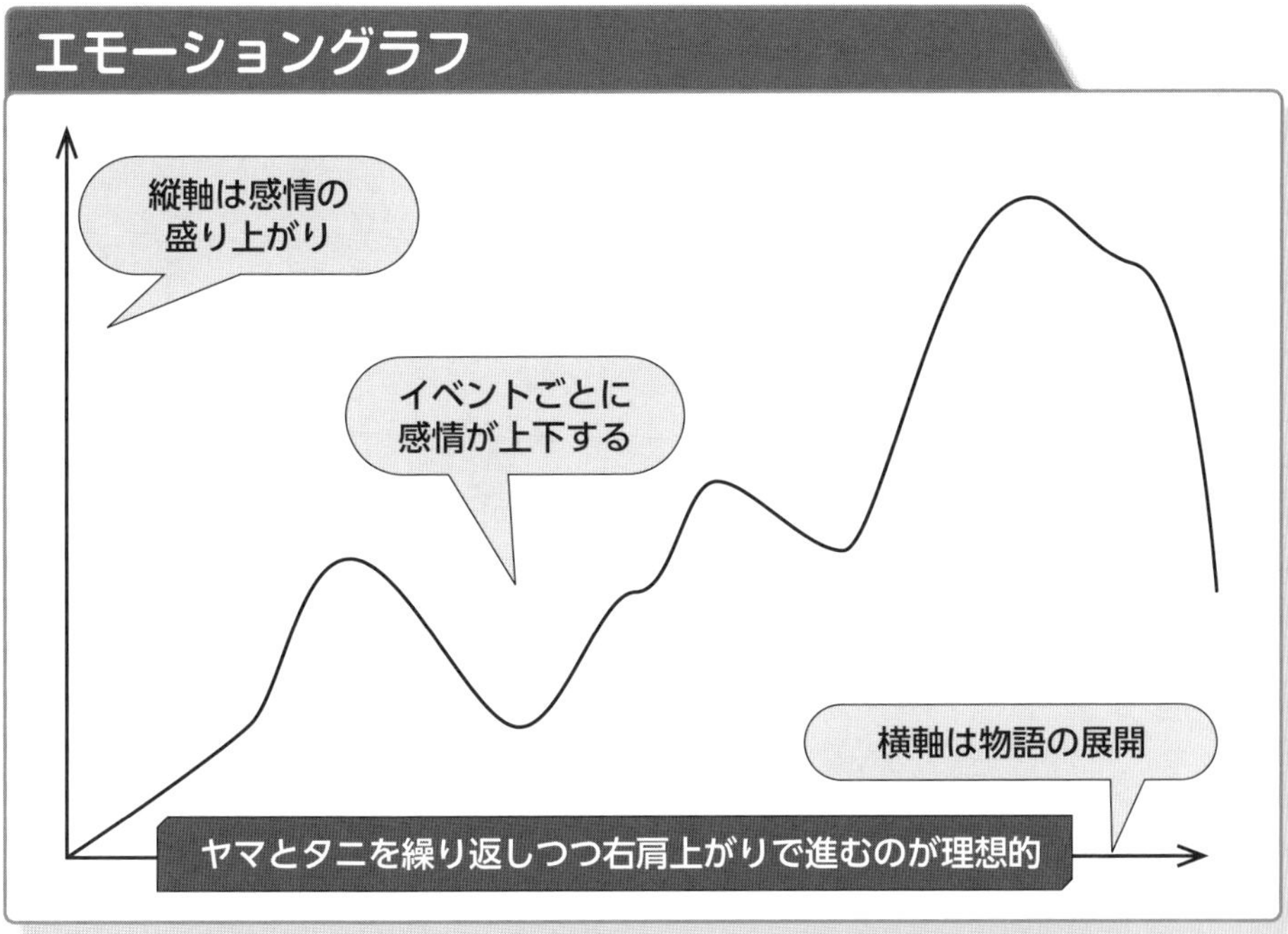
エモーショングラフ
縦軸は感情の盛り上がり
イベントごとに感情が上下する
横軸は物語の展開
ヤマとタニを繰り返しつつ右肩上がりで進むのが理想的

滞や労働の辛さが声高に叫ばれる昨今、中学、高校、大学といった学生時代をこそ楽園と捉えるのは、決しておかしくない。いやそうでなくても、学校という一日のほとんどすべての時間を暮らし、友人もたくさんいる（なんとなれば学校以外に友人などいない）場所に執着するのは当たり前、とさえ言える。

こんなふうに、テンプレートに手を加えたり、絶対とされている要素をあえてズラしたりして、面白さを作っていくのは応用のやり方でまず押さえておいてほしいところだ。

エモーショングラフ

面白い話にするためには、どこに気をつければいいのだろうか。絶対的に必要なのは、物語の流れに変化をつけることだ。

物語の流れなんて分からないよ、という人には「エモーショングラフ」の概念を紹介したい。主人公（あるいは受け手）の感情がいかに盛り上がり、いかに落ち着くかを折れ線グラフで表現するのだ。

これは既存の作品を分析するのに役立つ。作者が物語にどのようなリズムを与えたいかが分かるからだ。後述する既存作品の分析・分解の際にはあらすじの手法を紹介しているが、可能ならエモーショングラフも一緒に書くといい。

また、自分の作品を作り上げた後、そのバランスをチェックしたい時にも、エモーショングラフを書くことをおすすめする。グラフィカルな形にすることで「うーん、思ったよりも盛り上がってないな」と気付き、「どうしてここはこうなったのだろう」と考えることができるからだ。

また、エモーショングラフを書くのに慣れてくると、やがて気付くことがあるはずだ。面白い作品において、グラフはただまっすぐ斜めに上昇はしない。必ず、上下を繰り返しながら結末に向かって上がっていくのである。そしてクライマックスで最も高まり、そこで主人公あるいは物語の目的が達成され、エピローグで落ち着く。そこに心地良い読後感がある、というのが定番の流れである。

ここで見えるのは、「一本調子で進んでいく話はつまらない」という一つの答えだ。物語の流れ（そしてそこに重なる感情の流れ）に変化があってこそ感動が生まれ、驚きや喜びが物語の受け手の心に伝わるのである。

ただこの変化も、行き当たりばったりに変えればいいというものではない。物語の受け手にとって気持ちのいい変化、気持ちの悪い変化がある。

「ヤマとタニ」

一つのポイントは「ヤマとタニ」だ。

ヤマは物語の盛り上がり、タニは物語が落ち着く展開だと思ってほしい。

主人公が成功したり、怒りや喜びなどの感情を強く感じたりするシーンがヤマ、主人公が失敗したり、悲しみや絶望などの感情を強く感じたりするシーンがタニ、とすると分かりやすいだろうか。加えて世界設定の説明、主人公たちが置かれた状況の紹介なども、物語が動かず気持ちが上がっていかないのでタニに分類されやすい。当然、受け取って気持ちのいい展開は「ヤマ」であることがほとんどだ。

これだけ見ると、「ヤマだけで物語を構成すればいいのでは」と思うかもしれない。ところが、そのような物語は基本的に成立しない。

理由の一つは、「ヤマ」展開は物語の受け手を疲れさせることが多いことにある。ヤマ、ヤマ、ヤマ、と続くと、単体では面白くても全体で見ると疲れ切ってしまって何が何だか分からなくなる……となりがちなのだ。

「いや、それでも自分の作品ではヤマがどんどん続いて息つく暇も与えないものにしたい！」という人もいるだろう。その場合おすすめなのは、アクション映画に学ぶことだ。ハリウッドのものを中心に名作が山のようにあるが、例えば二〇一五年公開の『マッドマックス　怒りのデス・ロード』がこの点で大いに参考になる作品といえる。荒廃した近未来を舞台にしたいわゆるアフターホロコーストもの（ポストアポカリプスもの）で、話の筋は前半が「荒くれ者たちに捕らえられていた主人公たちの脱出」で後半が「主人公たちの逆襲」でほぼ大まかに説明できてしまう。要所要所にはタニ的展開、主要キャラクターたちの精神的な変化や成長、関わり合いの変化なども用意されているが、物語のほとんどはアクションに次ぐアクションで、ヤマだらけの展開で構成された物語と言える。古い言い方になるが「ジェットコースタームービー」というやつだ。ストーリーに謎はほとんどなく、ロマンス的展開も多くはない。行く先を見失い、悩み苦しむシーンもあるが長々と引っ張ることはなく、荒廃した世界を生きるにふさわしい雄々しい人々の生き様に重点が置かれている。映画だからこそできる物語という部分は大きいが、それでも「ヤマだらけの物語」の一つの見本としておすすめできる。

もちろんそれ以外のアクション映画、あるいはサスペンス映画、また天災を題材にしたディザスタームービーなどのアクション・スリル・サスペンス要素の強い映画も、ヤマを生かしたいあなたには大いに参考になる。その時のおすすめは、作中で起きた出来事を一つ一つ箇条書きにすることだ（もちろん劇場でメモをするのは難しいから、家で見る時に行うと良い）。そして、ヤマ的シーンとタニ的シーンに印をつけていく。

そうすることでヤマとタニのバランスが見えるし、また実はヤマ的展開にも種類がある（アクション、バイオレンス、サスペンス、セクシー……）ことが見えてくるはず。それは皆さんが物語づくりをしていくにあたって大事な学びとなるはずだ。

ヤマとタニの相互作用

そして理由の二つ目は、ヤマとタニは組み合わせてこそ最大の魅力を発揮することにある。

これは単純な話だ。ヤマを生かすには、キャラクターの（ひいては物語の受け手の）気持ちをできる限り上げる工夫が必要になる。そして、ゼロの地点から気持ちが上がっていくよりも、マイナスから上がっていったほうが実質的な上がり幅は大きくなる、ということだ。これはタニについても同じこと。ゼロから下げるよりも、プラスから下げたほうがいい。

これはヤマ、ヤマあるいはタニ、タニとつなげるのを避けたほうがいい理由でもある。ゼロからプラスなだけでも上がり幅が抑えられてしまうのに、それが小さなプラスから大きなプラスとなると、いよいよ上がり幅が小さくなってしまう。

だから、ヤマとタニは交互に組み合わせたほうがいいのだ。

ヤマとタニの組み合わせにも典型的パターンがある。それは、主人公が成功と失敗を繰り返しながら立身出世、あるいは世間的な成功の階段を上っていくタイプの物語だ。

例えば、こんな物語を見たことはないだろうか。

「プロスポーツ選手として成功したい主人公は選考会に参加して活躍するが、独特なスタイルから評価されない。それでもどうにかチームに入れてもらい、差別されつつ成功を勝ち取る。ところが調子に乗ったせいで大失敗し、立場が危うくなる。それでも奮起して再出発し、大活躍。チームを栄光に導く」

分かりやすくスポーツものにしたが、これは多くの物語で使える王道パターンである。目当ての異性の心をつかもうとしてドタバタする話、特別なプロジェクトを任されたサラリーマンなど。

特に相性がいいのは、主人公が明確に目的（動機）を持っていてそれを達成するタイプの物語だ。その目的に向かって成功と失敗を繰り返すのは非常に自然でスマートな形だし、結果としてヤマにせよ、タニにせよ、前の展開からの高度差を作り上げて双方を有効に機能させることができる。

つまり、次のような構成になっているわけだ。

①失敗

（物語開始時から背負っているなんらかのハンデ。最初から明らかになっていることも多いが、②の成功後に明かされるケースもよく見る。この失敗はない場合もある）

②成功

（物語最初の見せ場。主人公の格好良さを表現するシーンであり、また作品全体の雰囲気をアピールするシーンでもある）

③失敗

（主人公は厳しい状態に置かれる。ここでストレスを感じることで、次の大成功へつながるためのバネとして作用することが多い）

④大成功

（③での不満や鬱屈とした気持ちを爆発させて大きな成果を挙げる。しかしこの時点では主人公は未熟未成長であり、しばしば危ういところも顔を見せる）

⑤大失敗

（大成功から一転して主人公と仲間たちは窮地へ追い込まれる。主人公の欠点が原因になることが多いが、単純に強大な敵に追い込まれるケース、思いもよらぬ落とし穴にはまってしまうケースも）

⑥大大成功

（大失敗を乗り越えて主人公たちは成功をつかみ取る）

これにキャラクターの目的をセットとして組み合わせることで、新たなテンプレートとして活用することができる。基礎テンプレートだとどうも盛り上がりが足らない、面白くならないと感じた人はぜひ活用してほしい。

もちろん、このテンプレートにもさらに手を加えることができる。

・成功と失敗の繰り返し回数

・物語を成功から始めるか失敗から始めるか
・最後を大成功で終わらせるか大失敗で終わらせるか

このあたりに変化を与えることで、印象は大きく変わってくる。

例えば連作短編的なストーリー、一話読み切り短編連載的な連続ストーリーを展開して行く際にこのやり方が大いに役立つ。

秋本治『こちら葛飾区亀有公園前派出所（こち亀）』（集英社）などはその典型例だ。

警官でありながら好奇心旺盛かつ強欲な両津勘吉は、日々出会う何かのホビーやニュース、アクシデントに儲け話を察知する（不幸なトラブル＝失敗から始まることも多い）。両津は優れた身体能力、広範な知識やコネクションを活用して瞬くうちに事業を成功させ拡大させる。ところが突然のアクシデント、あるいは両津の強欲さゆえに引き際を失ったりもともとの無理が表面化したりして最後には大失敗……というのが『こち亀』の最も基本的なストーリーラインである。

これにもっとシンプルな人情話やひたすらアクションをする話、不条理なメタフィクション話などを織り交ぜて、常に読者を飽きさせなかったのが何十年にも及んだ長期連載の秘訣であろう。

しかし、基本テンプレートもけっして単調な印象を与えるものではなかった。そもそもその時代の流行り物を、積極的に「両津の儲けの種」として取り込んでいく貪欲さによってバリエーションが豊富であったし、かつテンプレートそのものも多様に変化した。一話読み切りスタイルだけに失敗→成功→失敗とテンポよく進むケースが一番多いが、最初から積極的に儲けに行く（成功から始まる）ケースもあれば、途中で一度失敗を挟む（うまくいっていた商売を取り上げられてしまい……）ケースもある。

このように、一見すると単調なテンプレート的展開も、変化をつけることで大きく印象を変えることができる、というのは『こち亀』から大いに学ぶべきポイントであろう。

ただその一方で、それがすべてではないことも忘れてはならない。両津勘吉という強力な目的意識（金が欲しい、面白いことをやりたい）と個性・生命力を持ったキャラクターをメインに据え、サブにもレギュラー・

準レギュラー・ゲストと多種多様なキャラクターを配置し、組み合わせによって無数のバリエーションの物語が作れること。そして何よりも既に紹介した通り「毎回の題材として時事的なネタも含め流行りを中心にメジャーマイナー取り揃えてまったく読者を飽きさせない物語づくりができたこと」は非常に大きい。

おそらく二〇一〇年代後半に連載していたなら、真っ先にVチューバー（ヴァーチャルなキャラクターによってユーチューバー活動を行う）に手を出していたであろう……ネットでそう噂されるのは、長年にわたって流行の波を乗りこなして面白い物語を作ってきたという信頼感があるからに他ならない。

アイデアがあり、キャラクターがあってこその、それを生かすストリーテンプレートであることをお忘れなく。

「逸脱」の魅力

もう一つ。基礎テンプレートの物語には足らないものがある。それは「逸脱」だ。「裏切り」や「波乱」と言ってもいい。

つまり、まっすぐきれいに進んでいく基礎テンプレートの物語の矢印を、「揺らして」あげてほしいのである。

どうして揺らす必要があるのか。それは、エンターテインメントは受け手の予想を超えなければ面白くなりにくいからだ。

超える、と似たような意味合いの言葉に外れるがあるが、願わくば外れるではなく超えるを目指していただきたい。なぜかといえば、予想を外すのは簡単だからだ。単に誰もやったことのないことをやればいい。しかしそれはたいてい面白くならない。予想は超えなければならない。

まだちょっと分かりにくいかもしれない。別の言い方でかなりよく知られたものに、「予想は裏切り、期待には応える」がある。裏切る、は外すとかなり近い言葉だ。しかしそこにとどまらず、「期待に応える」が入っているところが違う。期待に応えつつ予想を裏切ろうと思ったら、単に裏切る（外す）だけでは足りないのである。

「こういうことするんだろうな」という予想の通り

にはしない。しかし、「面白い（ワクワクする、ドキドキする）んだろうな」という期待には応える。これがエンターテインメントに求められる態度なのだ。

そのために必要なのが「どんでん返し」だ。舞台の仕掛けに由来する言葉だが、創作においては「キャラ、ストーリー、設定などに大きな変化が起きる」と考えればいいだろう。真実が明らかになり、裏切りが行われ、状況が一変し、戦うべき敵の位置や性質が変わる。それによって物語の方向性が大きく変わり、読者の気持ちを新たにすることができるのだ。

見せ場をどこに置くか

読者の意表を突く、面白さのリズムを作る、という点では別の考え方もある。それは見せ場をどこにどういうふうに作っていくか、ということだ。

見せ場の演出にはいろいろなパターン、いろいろなやり方がある。例えば、クライマックスに向けて段階を踏んでいく手法だ。これを伏線ということもあるし、フラグということもある。

例えばどんなイベント・描写があり得るか。

恋愛ものなら主人公がヒロインを好きになるきっかけや、相手と触れ合うことにより気持ちが強まる展開は当然欲しい。二人の関係が成就するなら「あ、相手側もこちらを憎からず思っているな」ということを感じさせる展開が必要だ。また、恋愛ものは二人の間だけで進むとは限らない。ライバルの登場や、周囲による妨害、恋の成就のために必要な別の試練などがあるとより強く気持ちが盛り上がるであろう。

このような要素を丁寧に積み上げていくことで、結末における主人公の勝利、目的の達成に説得力が生まれる。

しかし、この項でも書いてきた通り、丁寧な積み上げは「先が見える」ということにもつながってしまいかねない。「こうなるんだから次はこうでしょ」ではつまらない。そこで、ここに「揺らす」テクニックが必要になる。どうするか。伏線をさりげなく張るのがその一つだ。例えば、ミステリで殺人事件の真相につながる証拠、青春もので親友が主人公を裏切る理由を、特に重要でもなさそうにさらっと書くわけである。すべてが分かった時に「あの時のあれはそういうことだったのか！」で大きく盛り上がる。

最近のエンタメでは見え見えの伏線をある種の様式美、「お約束」として楽しむ（あるいは嫌ったり、笑ったりする）文化もある。「フラグ」という言葉はこの意味でもよく使われる。例えば戦争もので仲間が「俺、この戦いが終わったらプロポーズするんだ……」と言い始めたら、それは「死亡フラグ」だ。お約束展開では、彼はまもなく死ぬ。本来の演出意図としては彼を殺すにあたって気分を盛り上げるために例のセリフを言わせたわけだが、それが定番化しすぎ、「このセリフを言う奴は死ぬ」と共通認識になったわけだ。すると今度は「死亡フラグを言って死ぬところを笑いにする」「死亡フラグを言ってあえて死なない強い奴として描く」「陳腐化させないために死亡フラグ的セリフをキャラクターに言わせない」という工夫も生まれる。

見せ場をどこに持っていくか？

見せ場の位置にも工夫のしがいがある。丁寧に積み上げて最後に見せ場があって終わり、ではなくあえて別の位置に置くわけだ。

定番は「序盤からクライマックス的展開を用意する」ことだ。「ホットスタート」という言い方もある。丁寧に世界やキャラクターの説明、出会いを描くのではなく、いきなりバトルで始まったり、アクションをガンガンに放り込んだりしていく。アクション映画ではしばしばこの冒頭のホットな展開で主人公たちのキャラクター性をアピールする。

実際、「見せ場を温存しすぎない」「面白いネタやエピソードはどんどん前に持っていく」というのは、面白いエンタメを作る時に重要な心構えといえる。「これは一番面白いネタだから最後の最後に……」というのは、プロになってから試みるので十分。

榎本事務所のメンバーが見てきた限り、アマチュアクリエイターの温存は悪い意味の出し惜しみであり、「いい」ネタ、「すごい」ネタと考えていても実は大したことがない……ということが残念ながら多い。

それよりもむしろ、出し惜しみせずいいネタをどんどん先に出す人のほうが後々もっといいネタを思いつくことがあるようだ。

ホットスタートと同種の展開として、オタク的スラ

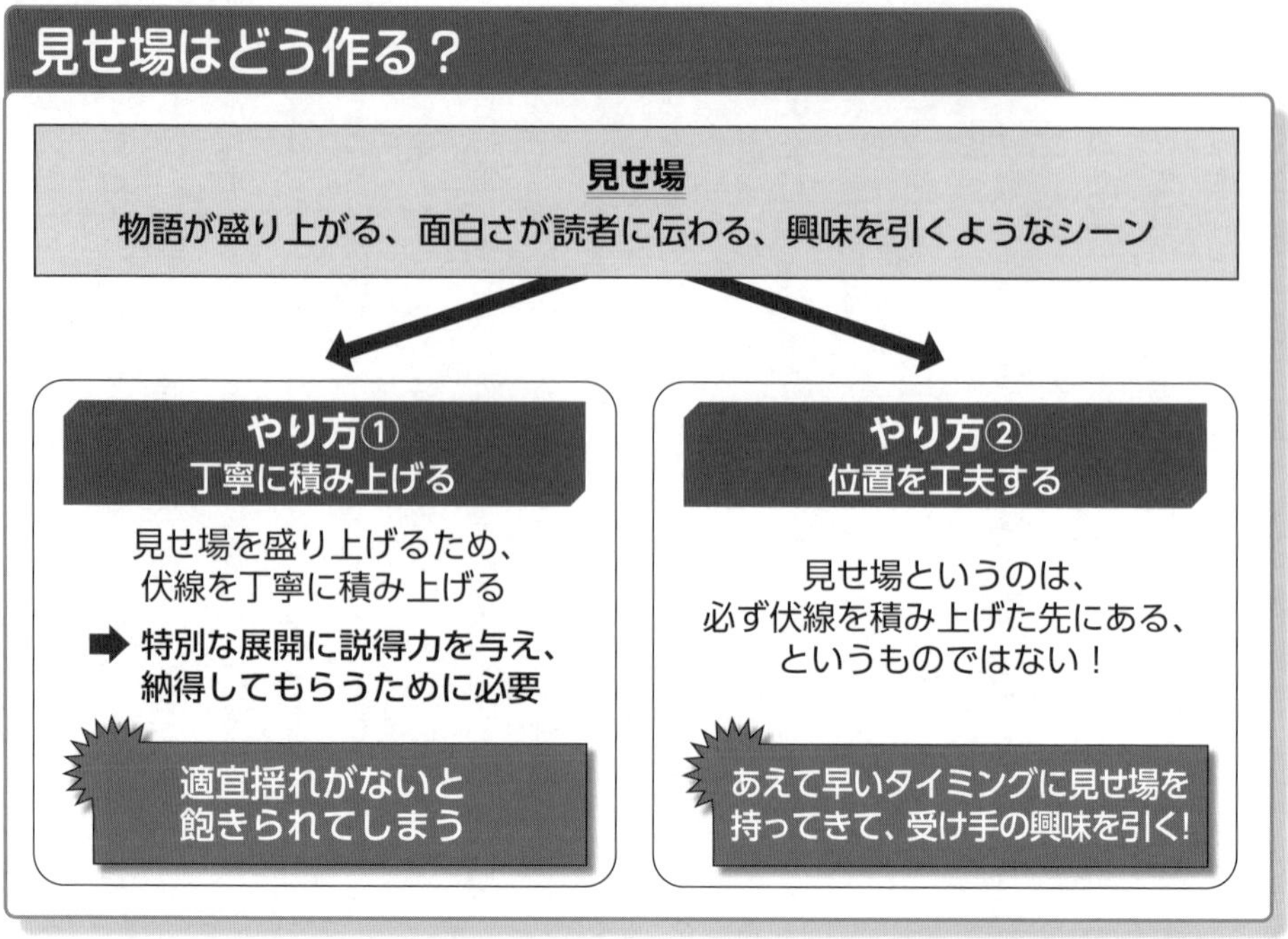
見せ場はどう作る？
見せ場
物語が盛り上がる、面白さが読者に伝わる、興味を引くようなシーン
やり方①
丁寧に積み上げる
見せ場を盛り上げるため、
伏線を丁寧に積み上げる
特別な展開に説得力を与え、
納得してもらうために必要
適宜揺れがないと
飽きられてしまう
やり方②
位置を工夫する
見せ場というのは、
必ず伏線を積み上げた先にある、
というものではない！
あえて早いタイミングに見せ場を
持ってきて、受け手の興味を引く！

ングになっているものに「村焼き」がある。多くの場合、主人公の故郷である村や町が焼かれ（これは比喩であって、本当に焼くこともあるし、怪物の襲撃や天災による崩壊であることも多い）、そこから彼の旅が始まることになる。襲撃から逃げるためか、それとも復讐のためか。どちらにせよ平和な暮らしを奪われたこと、強烈な衝撃を受けて物語が始まることは、冒頭にインパクトを与えるだけにとどまらず、この物語に順当な始まりをしたものとは別の性質を与えることになる。冒頭にピンチを置くことで、物語に危機感と緊張感が生まれ、全体を締まらせる効果がある、というわけだ。

　他にどんな手があるだろうか。クライマックスを予想とは違う形にするのもよく見られる手法だ。なんらかのアイテムを集めたり、復讐ターゲットを殺すなど、特定のチェックポイントを通ることを目的とする物語は、しばしば途中でターゲットが一箇所に集められたり、目的が変更されたり（アイテムが集まってしまったせいで起きた事件を防ぐ、など）する。

　創意工夫を持って見せ場の位置を探ってほしい。

成功失敗テンプレート

タイトル：

①失敗
最初に背負ったハンデ、難しすぎる目的

②成功
最初の見せ場

③失敗
そう簡単にうまくはいかない障害が出現

④大成功
成功の階段を上っていく

⑤大失敗
調子に乗ったのか？

⑥大大成功
勝利をつかむ

まとめ：ストーリーを取りまとめる

アイデアはいろいろ頭の中にあるんだけれど、
ごちゃごちゃして整理できない。
これをどうやってストーリーとして
取りまとめればいいんだろうか？

↓

**テンプレートに当てはめることでアイデアを整理し、
ストーリーの形にしていくことができる**

まずは基本から

いろいろな切り口を試してみて、
自分に合ったやり方を模索しよう

↓

「そもそもどんな話」なのか、「何を目的とした話」なのか、
「一通りの要素を書いてみる」ことでまとまるのか、
それとも「キャラクターから考えてみる」とまとまるのか？

↓

応用を利かせる

- テンプレートにアレンジを
- 物語にヤマとタニを
- 「見せ場」をどこに持っていく？

Chapter

04

インプットの重要性

アイデア発想は情報のインプットなしには始まらない！

……とはいえ、これもやっぱりやれること、やらなければいけないことが多すぎてどこから手を出せばいいのか分からない、となりがち。普段の心構えから何か知りたいことがある時まで、インプットのノウハウを幅広く紹介する。

TOPIC

既存作品から学ぶ

創作の腕を上げるにあたって、一番大事なのが「創作経験を積み重ねること」であるのはいうまでもない。どんなテクニックも、実際に自分で使ってみて、自分なりに血肉としなければ意味がないからだ。

しかし、自室にこもってパソコンや机に向き合い作品を作るばかりでは足りない。本章では作品や情報を取り込み、それによって創作の力を伸ばす手法について紹介する。

既存作品を楽しむことの意味

第一に紹介したいのは、既存の作品に触れ合うことで創作の力を伸ばす、ということだ。小説を読み、漫画を読み、アニメや映画を観て、ゲームをプレイすることが、創作力の上昇につながるのである。

意外なことに、クリエイター志望であるにもかかわらず自分が作ろうとするエンターテインメント・ジャンルについてほとんど触れたことがない、という人がいる。

これはまったくおすすめできない。各ジャンルごとに独特の作法やお約束があり、ツボがあるのにもかかわらず、ほとんど触れていないとそれらが分からないからだ。

その結果として、受け手の興味を引けず、面白がってもらうこともできないということになる。必ずしも自分の興味や趣味と合致しないにしても、最低限のマーケティングとして、自分がこれから作ろうとするジャンルの売れ筋には触れておいたほうが良い。

・今ウケているのは、どんなキャラクターで、どんな属性か？
・今の読者が好むのはどんなガジェットか？
・今定番化しているのはどんなジャンル、どんなストーリーパターンか？

このようなことを吸収するためにはいわゆる「売れ線」を押さえるに限る。

既存の作品から学ぶ

**作品を「作る」のと同じくらい、「楽しむ」「触れる」ことは
あなたの創作に大きな影響を与える**

↓

学ぶのも大事だけれど、まずは面白がること！
いやいや触れるよりも、楽しんだほうが効果が高い

あなた → 楽しむ、面白がる → 既存作品

既存作品 → テクニック・パターン → あなた

既存作品で実際使われている「面白さの仕組み」
を自然な形で自分に取り込んでいく

↓

具体的に、どんな作品がいいのか？

↓

定番作品には高レベルなテクニックやパターンが有る	今の売れ筋から流行りのキャラやガジェットを見出す	他ジャンルの作品からライバルに差をつけるための斬新さを見出す

具体的に何が売れ筋・売れ線なのかを把握するにはそのジャンルの作品にたくさん触れ、親しむのが一番だ。一年に何十作・何百作と触れている人と、数作しか触れない人では、

「このジャンルはどういう傾向があるのか？」
「どんな作品がウケているのか？」
「逆に少ないパターンはどんなものか？」

などの理解で大きな差が出る。

とはいえ、生活の時間をすべて読む（観る、遊ぶ）のにつぎ込め！　とはとてもいえない。それで作品を作る時間がなくなったら本末転倒だからだ。また、あまりにも多くの作品に触れすぎたせいで、

「どういう作品が良いものなのか分からなくなってしまった」
「そもそも自分がどんな作品を作りたいのか見失ってしまった」

というケースもまま見る。

そのため、もともとそのジャンルが大好きで浴びるほど見てきた——という人以外には「数をこなせばこなすほどよい」とはいえない。他に、事情があって門外漢状態から手早く触れたい、という人も多いはず。

小説や漫画なら「アニメ化されているかどうか」で判断する人が多いだろうし、実際アニメ化はヒット作の証である。

ただ、原作がヒットする時期とアニメ化される時期は必ずしも一致するとは限らない。また、アニメ化され、その放映が終了した結果として「作品の旬はもう終わった」というムードが漂うことも多い。そうなると、アニメ化作品が持つ要素は「かつてウケていた要素」であって「今ウケている、今ウケようとしている要素」とはズレる可能性があるのだ。

例えばこういう時、小説やゲームなら漫画化、漫画なら小説化は一つの指標になりうるかもしれない。アニメ化よりも企画として規模が小さく、それだけに早いタイミングで行われることが多いからだ。

別の指標を探すこともできる。各種売上げランキング、アマゾンに代表される通販サイトやレビュー専門サイトでの批評、X（旧ツイッター）ほかSNSで流れる感想だ。各種媒体や専門誌での話題や評価も指標になる。例えばライトノベルなら『このライトノベ

ルがすごい！』、漫画なら同じく『このマンガがすごい！』があるし、他にも「次にくるマンガ大賞」などはネット上で人気が出るようなちょっとマニアックな作品の掘り下げに役立つだろう。

何から触れていく？

売れ筋作品以外はどんなものに触れるのが良いだろうか。

好きな作品（作家）はいるけれど他のものはあまり……という人は、とりあえず自分の好きなところから広げていけばいい。その作家や会社の過去の作品だったり、雰囲気が近い作品だったり、ファンが共通する作品から手を出してみるといいのではないか。

作品に触れることが苦行になっては仕方ない。最初に売れ筋から……としたのも、作品として質が安定していることが多いからこそなのだ。

似たような作品はあらかた制覇したが、売れ筋はどうも肌に合わない、という人もいるに違いない。そんな人はぜひ、売れ筋以外、ちょっとマニアックだったり古かったりする分野を攻めてほしい。あなたと同じようなクリエイター志望者があまり見ないような作品群だ。

この分野に触れることは、定番作品群以上にあなたにプラスになる。なぜかといえば、「オリジナリティ」のもとになるからだ。これは本書で非常に重要視する点でもある。

誤解されがちだが、「ウケるオリジナリティ」とは、「誰も見たことがない完全に斬新なアイデア」ではない。そのようなまったく新しいアイデアの多くは、

・そもそも面白くないので誰も試さない
・試した人はいるが面白くなかったので知名度が低い
・面白くする難易度が高く、挑戦する人がいない

のどれかであることが多い。もちろん、これらをさらに斬新な用法によって真にオリジナリティに溢れたアイデアに仕立てる人もいる。だが、それは本当に限られた天才だけだ。挑戦はおすすめしない。

では、一般に言われるオリジナリティとは何か。それは、

・既存のアイデアを新しい組み合わせで見せる
・既存のアイデアに新しい切り口を見つける

・そのジャンルで一般的でないアイデアを使う

この三つのどれかであることが非常に多い。

このうち前者二つについては、本書の別項で紹介するテクニックが役に立つ。そして、三つ目――「一般的でないアイデア」についてこそ、売れ筋でない作品や、過去の作品や、別ジャンル・別媒体のエンターテインメントに触れることで手に入るのだ。だから、自分の好きな作品だけでなく、売れ筋・売れ線だけでなく、多様な作品を読んでほしいのである。

各ジャンルの特徴

さて、他ジャンル・他媒体の作品に触れよう、そこから新しいアイデアを吸収しよう――と一口に言うのは簡単だけれど、実践するのは容易ではない。小説、漫画、ゲーム、演劇その他、各ジャンルごとに媒体や発表場所による制約や特性があって、「このジャンルで面白かった話をそのまま移植しよう」「あのジャンルの魅力を別のジャンルで再現しよう」と考えても、なかなかうまくはいかないのである。

本書は多種多様なエンターテインメントに使えることをコンセプトとしているため、単に「いろいろなエンターテインメントを読んで小説に使えるように」ではなく、各ジャンルの特徴を押さえて応用に使えるようにしたい。

・小説

小説は文字で構成されたエンターテインメントであることに最大の特徴がある。

文字は情報の圧縮力が非常に優れている。映像・動画だと何分もかけなければいけない情報も、文字ならごく少ない数で表現することができる。例えば「人でごった返す繁華街の大通り」や「天をつくような高山の麓」など、絵で表現しようとしたらかなりのスペースを必要とするが、文字ならご覧の通りである。小説を漫画化・アニメ化する時も、文庫一冊分の話が漫画だと二～三巻、アニメでも何話もかかることが珍しくない。これはそれだけ情報が圧縮されている、ということだ。

このような情報の圧縮、例えば食事のシーンを「食事を済ませた」とするような省略は非常に便利なのだが、あまり圧縮・省略をしすぎると全体としてディティールに乏しくなり、単調・手抜きの印象を与えることになるので注意。かといって文字ですべて表現しようとすると鬱陶しいので、適度なバランスが必要になる。

小説からアイデアを得ようとするのであれば、それだけ情報が圧縮されたり省略されたりすることを分かった上で、「この省略されているところをあえてしっかり書くことで面白さが出るのでは」「小説では圧縮されているからこのシーンをサラッと読めるけど、他の媒体では長くなりすぎるからセリフやシーンをそのままもらってくるのは難しい」などの判断をしなければならなくなる。

・漫画

漫画はもしかしたら日本で一番広まっているエンターテインメントかもしれない。コマで分けられた絵と文字の組み合わせによって非常に読みやすく、老若男女問わずファンがいる（ある作品があまねく読まれていると言うよりは、あらゆる読者に向けて細分化されたジャンルがあると考えたほうが良い）。

今どんなキャラクターやストーリー、設定が人気なのかを知るのには、漫画こそが一番向いている媒体といえる。

さて、本書を手に取られたクリエイター志望者の中には、ライトノベル作家（及びこれに類するエンタメ系小説の作家）を目指す方も少なからずおられるだろう。ライトノベルは「活字で書いた漫画」などと表現されることからも分かるように、エンタメの中でも特に漫画との親和性が高い。キャラクター性やテンポの重視など、物語づくりの点においてよく似ているのだ。

・ゲーム

ゲーム、特にコンピュータゲームは比較的新しいエンターテインメントである。しかしその発達と普及は目覚ましい。ゲームはアクション、格闘、RPG、パズル、アドベンチャー、シミュレーションなど多種多様だが、ここではRPGを中心にストーリー性の強いものを主に取り上げる。

ゲームはストーリー性が強ければ強いほど、少なくとも物語という点では他のエンターテインメントと大きく変わらなくなる。特にアドベンチャーゲームの中には「ノベルゲーム」などと言って、立ち絵や背景、BGMなどは表示されるがそれ以外はほとんど小説をそのまま読むのと変わらないものも珍しくない。

ただ極端な例を除いて、ゲームには他のエンターテインメントとの違いがある。それは「プレイヤーがなんらかの選択や行動を行い、それによってゲーム内の状況やストーリーに変化が起きる」ということだ。このような要素は（一部の例外を除いて）他のエンターテインメントには見られない。

逆にいえば、ゲームの面白さを引き出そうとしたら「プレイヤーが世界や物語に関与できる」ことを生かすべきだし、ゲームの物語を他のエンタメに生かそうと思ったら「プレイヤーが関与できるようになっている部分をどのような要素に移し替えたらいいか（例：複数選択肢があるところはどうするか、プレイヤーがフィールドマップを操作して自由に旅をする場面をどうするか）」と考える必要がある。またそのように考え、移し替えることが、あなたがオリジナルの物語を作っていくことにもつながるのだ。

今、ライトノベルや少年漫画など若者向けのエンターテインメントのクリエイターを志す人には、ゲームに大きな影響を受け、「自分がゲームで感じた感動、ゲームをやっている中で見出した物語性を自分の作る物語で再現したい」と考えている人は多いはずだ（コンピュータゲームはゲーム性のために不自然なところがあったり、できないことがあったりということも多いので、しばしばその余白に自分なりの物語を見出す人は少なくないのだ）。いわゆる「なろう」系の作品群に、「レベル」「HP」「スキル」「クエストを出すギルド」などいかにもゲーム的な要素が多く見られるのもその一環であろう。

ただ、やっぱりゲームは他のエンターテインメントとは違うところが多いので、気をつける必要がある。それは前述したレベルなど「ゲームを成立させるための要素はゲーム以外では不自然に見えることが多いので、登場させるなら理由付けをする」ということがある。他にも「（特にRPGなどは）ゲームプレイ時間の関係もあって非常に壮大な物語になっていることが多く、自分の書きたい物語に合わせて要素をもらってくる必要がある」「ゲームはその性質上問題解決、障害排除の物語になっていることが多いので、それ以外のストーリーパターンの参考にはしにくい」などがある。

・映像作品（アニメ、実写ドラマなど）の脚本

役者たちが演じるさまを撮影した実写ドラマと、絵を動かすアニメではもちろん各種の特徴が違い、別ジャンルだ。ただ、ここでは漫画がどこまでも「止まった絵」であるのに対し、これらは「動いている絵」であり、さらには多くの場合音までついてくる——という一点から、ひとまとめに紹介する。アニメ脚本やドラマ脚本固有の事情からくるテクニックについては（小説や漫画などと同じく）それぞれ専門の書籍に当たっていただきたい。

さて、映像作品は小説と比較すると表現できる情報量が非常に少ない（漫画もそうなのだが、比較してもさらに少ない）のが特徴となる。

そのため、これらのジャンルは画面の細かいところも含めてなるべく多くの情報を発信するように気を使わなければいけないし、また情報・物語を取捨選択していかなければならない。そうした「見せ方」は他ジャンル作品を作るにあたっても大きく参考になるだろう。

また、各種ドラマやアニメ（加えてバラエティー番組も）はセリフの勉強になる。シナリオや脚本にのっとって放たれる言葉は、通常話される会話よりも小説の会話文に近い（通常の会話はあくまで口語だから許される言葉で、そのまま文章にすると違和感が大きい）ため、書き出してみると会話文の参考になる。

もしあなたが小説や漫画などで短めにまとまった、それでいてドラマチックに話が動くような物語を作ろうと考えているなら、映画が特におすすめできる（昔ならいわゆる「二時間ドラマ」が良かったのだが、近年はすっかり減ってしまった）。

映画は、

・視聴者は以前の内容を知っているとは限らないので、短く設定やキャラクター性を紹介する必要がある
・だいたいが九十分から二時間半程度というけっして

長いとはいえない時間の中で物語をまとめ、メッセージ性や娯楽性を盛り込んでいく必要があるなどの事情から、大いに勉強になるからだ。

・歌詞

音楽もまた同じように人気のあるエンターテインメントである。

音や声のニュアンスはその他ジャンルのエンターテインメントには落とし込みようがないかもしれない。しかし、歌詞はどうだろうか。話が変わってくる。

ポップスを始め、歌の歌詞は短い文字数の中に物語を圧縮して入れ込んでいくことが重要になる。和歌(俳句や短歌など）や詩も同じだ。小説や漫画なら大量の情報によって読者の頭の中にイメージを作ることができるが、歌詞の情報量は少ない。一番大事な（つまりテーマに直結するような）言葉を選択し、あるいは一つの言葉によって受け手の頭の中に多彩なイメージを喚起するような言葉の使い方をする必要がある。

このようなワードチョイスのセンスは、他のジャンルのクリエイターにとって大いに参考になるはずだ。

逆にいえば、作詞を志す人は、既存の物語をいかに詩という形に圧縮できるか、既存の作品のどこをチョイスし、ピックアップすればその物語からあなたが受けた印象をコピーすることができるか（ストーリーをそのまま圧縮するだけでは印象は引き写せないことが多い)、を挑戦してみるといいのではないか。

・舞台演劇

ここまでに紹介したエンターテインメントと比べて、楽しむためのハードルがちょっと高めになってしまうのが舞台演劇であろう。チケット代は安くないし、劇場まで足を運ぶ必要がある。

とはいえ、機会があればぜひ挑戦してみてほしい。クリエイターを目指す人にはいい経験になるはずだからだ。

最大の特徴は、やはりリアルタイムであり、アドリブやトラブル・アクシデントへの対応など即興的な面白さを見出しうることと、一つの空間を送り手である演者と受け手である客がすぐ近くで共有し、盛り上がり、臨場感と緊迫感を作っていく感覚にあるだろう。

ジャンルそれぞれの特徴

小説

情報を圧縮し、また省略することが最大の特徴

➡ 心理描写や設定の細かい解説など、小説ならではの物語がある

若者向けエンタメとして、イラストなどを特徴とするライトノベルが有名

漫画

文字と絵の組み合わせによって「読みやすい」ことが最大の魅力

➡ 幅広いジャンル、題材を内包し、可能性が非常に大きい

ライトノベルと親和性が高い

映像

アニメや実写ドラマなど。性質はそれぞれだが「映像」であることは一緒

➡ 映像の力で画面や音の情報量は大きいが、物語として込められる情報には限界があり、切り口が独特なものになる

ゲーム

他のエンターテインメントとの決定的な違いとして、プレイヤーが物語に干渉できることこそが最大の特徴

その違いをどう置き換えるかが問題だ

歌詞

いわゆる「物語」とは違うように思うかもしれないが……

➡ 小説以上の情報の圧縮力が歌詞や詩にはある。情報をどう圧縮し、あるいは解凍するか？

舞台

リアルタイムに「現場」で行われるエンターテインメント

➡ 演じられることによる熱狂、即興性を感じ取る

宝塚歌劇は特におすすめ

舞台演劇もまた他のエンターテインメントと同じように多種多様だ。「劇団四季」のようなメジャーどころがあり、TVに出てくるような俳優たちが別の顔を見せる演劇もあり、芸人たちが活躍するより笑いの要素が強いものもあり、マニアックでコアなものもある。アニメ・ゲーム好きなら、アニメ・漫画・ゲーム原作の「2.5次元」と通称される演劇は数多く行われている他、声優にはしばしば舞台俳優としても活動する人がいたりするので、そっち方面から広げてみるのもいいかもしれない。

その中で特におすすめしたいのが「宝塚歌劇団（宝塚）」だ。女性だけで構成された劇団であり、女性役はもちろん女性が（娘役）、男性役もやっぱり女性が（男役）演じることでよく知られている。その耽美なイメージから女性ファンが多いことで有名で、男性は二の足を踏みがちであるが、しかしそれはあまりにもったいない。機会があれば男性でも女性でも無関係に、ぜひ一度その目で宝塚を観てほしい。

一つには、その方法論が参考になるからだ。男役トップスターを物語の中心に置き、その魅力を引き出すために、他の俳優たちや演出、ストーリー展開を計算して配置するというその構成は、エンターテインメント作品であれば広く役に立つ手法であるはずだ。

そしてもう一つ、実は宝塚ではかなり頻繁に他ジャンルのエンターテインメントを原作にした舞台が演じられている。古くは『ベルサイユのばら』がそうだし、近年になっても『銀河英雄伝説』『るろうに剣心』『相棒』『逆転裁判』など、小説から漫画からドラマからゲームから、ちょっとびっくりするような原作を持つ作品群がラインナップしている。興味があればこんな方向からもぜひ。

既存作品から吸収するために——内容をまとめる

では具体的に、既存の作品を読んだ（観た、聞いた、プレイした）時に、どのようなことをすれば自分の血肉にすることができるのだろうか。

第一に必要なのは「作品を面白がる」「楽しむ」ことだ。何しろ、皆さんが作り上げようとしているものはエンターテインメントなのだから、楽しむことが抜け落ちていいはずがない。

よく「勉強だと思って」「騙されたと思って」というロジックが使われる。辛いこと、苦しいこと、興味の持てないことに挑戦するためにこういうある種の言い訳を用いるのは、ある程度仕方がないことなのかもしれない。

ただ、やっぱりこういう気持ちで挑んで得られるものは限界がある。自分自身が楽しみ､面白がってこそ、その作品の魅力を十分に受け止め、分析することができるのだ。

その上でのおすすめは、「自分なりに内容を整理してあらすじを書いてみること」だ。

あらすじなんて誰にでも書けるよと言わず、とりあえず一度挑戦してみてほしい。

あなたはすらすらとあらすじをまとめることができただろうか？　もしできたなら、それはあなたが物語を大づかみに把握する能力を持っている、ということだ。あなたは物語の大事な要素をしっかり認識できている。これは自分で物語を作る時にも非常に役立つので、折角だから磨いてほしい。

具体的にどうしたらいいのか。何パターンかの文字量で書き分けてほしいのである。これ以降の内容は、長編小説で文庫一冊分程度の内容を前提に考えているが、漫画、アニメ、ゲームなどでもそう大きくは変わらないはずだ。

なお注意点として、

・あらすじは最初から最後まで通して書くこと

（商業作品のあらすじは普通結末までは書かない。商業上当然だが、訓練のためのあらすじは最後まで書かなければ意味がない）

・余計な装飾や煽り言葉（「彼らの運命やいかに」「そしてたどり着いた真相は……」など）はいらない

（これも商業作品なら読者の期待を煽るために必要だが、訓練では不要）

以上の点は意識してほしい。

①一六〇〇文字程度

このくらいの分量を費やすことができれば、ほとんどの人はどうにかあらすじをまとめることができるはず。この文字数なら、設定の詳細や横筋までしっかり書き込んで、エピソードを選別せずに書くことができるからだ。

もし一六〇〇文字程度まで膨れ上がってもなおあらすじがまとめられないなら、それはそもそも「物語の中で起きていることを順番に書いて他人に伝えられるようまとめる」能力がないのだと想像できる。

その場合は箇条書きをおすすめする。つまり、文章という形にするのを諦めるのだ。「最初のシーンはこう」「次はこう」「次はこう」「次はこう」「最後はこう」という具合で、順番に起きたことを書いていく。その上で、設定など説明のために必要な情報を付け足していけば、どうにか「あらすじ」になるはずだ。

②八〇〇文字

だいたいこのあたりが余計なことを書かず物語の本筋を紹介する、「ちょうどいい」バランスになりやすい文字量である。物語の始まりから終わりまで、変な装飾や煽りをつけずに淡々と書くとこのくらいになるはずだ。

特に小説などで作品を投稿するということになると、おおむねこの文字量程度のあらすじ（梗概《こうがい》、などと難しい言葉を使う）をつけるレギュレーションになっていることが多い。そのためにも、まずは既存の作品のあらすじを書く訓練をしてみて損はない。

③四〇〇文字

このあたりから難易度が上がってくる。おそらく、よほど短い作品を除いて、普通に書くだけでも文字数がオーバーしてしまうはず。

この文字数で始まりから終わりまで、読者が興味を持てるように書くためには、「とりあえず書けるだけ書いてみて、多すぎたら削ればいいよね」というやり方では通用しない。「必要なこと、大事なことをピックアップする」という作業が必要になる。

つまり、テーマを見極めて、それに関わってくるエピソードを正確に選び、つなげる必要があるわけだ。これができるということは作品のテーマを見定める目、ストーリーのバランスを見極める目があるということだ。

④一〇〇文字

⑤二〇文字

これはセットで紹介する。

ここまで文字量が少なくなると、「あらすじ」ではなく「キャッチコピー」に近くなる。この文字数ですぱっとあらすじを書くには、ここまでとはまた別の意味でのセンスが必要になる。「ウリになる部分が見えてくる」ということであり、また「物語の背骨が分かる」ということであるからだ。

物語で一番大事なところが分かる能力を養っておくと、いざ自分がお話を作る際にも「これは余計じゃないかな」「この要素を中心にお話を作るべきだな」と考えられるようになる。

既存作品から吸収するために――分析する

さて、自分の楽しんだ作品についてまとめられるようになったのならば多くの人が

「こういうところが面白かった」

「こういうところは今一つだった」

と、作品への評価も見出せているはず。

もし「そこまでは頭が回らなかった」ということであれば、今からでも遅くない。

「自分はどういうところでこの作品を好きになったのかな」

「自分はどういうところでこの作品を好きになれない／引っかかったのかな」

と考えるようにしてほしい。そして、それらをメモ帳に書き留めてほしいのだ（あなたが紙のメモではなくパソコンやスマホを使っているなら、あらすじも一緒に書くと良い）。

感じたことは単に頭の中で泡のように生まれて消えるにまかせるのではなく、書き留めてこそ意味がある。のちのち見返すところまで含めてほしいが、そうでなくともとりあえず書くことに意味がある、というのは既に紹介した通りである。

アレンジ発想法

自分がそれらの作品について感じた「良いところ、悪いところ」が見えてきたなら、さらなる段階に進みたい。「アレンジ発想法」と名付けた訓練法だ。

これはあなたがなんらかの物語（アニメでも漫画で

も小説でもゲームもドラマでもそれ以外でも）に触れた後、できればその熱が冷めないうちに行ってほしい。例えば複数人で映画を観た後など、喫茶店にでも移って全員で一斉に行えたら最高だ。人によって各要素への注目ポイントが異なり、良し悪しの評価も異なるから、視野を広げることにつながる。

手書きで行うならメモ帳を開き、見開きをまるごと使う。パソコンで行う人は表計算ソフトを利用するといいだろう。

まず片方——メモ帳を使っているなら左側のページに、その作品の良いと思ったところ、良くないと思ったところ、印象的だったところを書いていく。思いつく限りのことを書き終えたら（必ずしもメモ帳いっぱいにしなくとも良い）、それぞれの要素ごとに矢印を右のページに向けて引っ張る。こうすることで、あなたが感じたその作品の（良し悪しはともかく）重要なポイントと、空白スペースが矢印で結ばれたわけだ。

そして、ここからが肝心だ。作品の良いと思ったところ、悪いと思ったところ、印象的だったところを、あなただったらどんなふうに変えるか？　あるいは、自分の作ろうとするジャンルなら、どんなふうに取り込んだらその要素を生かすことができるか？　それを矢印で結ばれた空白スペースに書き込む——つまり「アレンジ」するのである。

さて、一通り書き終えてみて、どうだろうか。自信を持って「元の作品より良い」と感じられるアイデアを思いつくことができただろうか。それはすごく良いことだ。

ただ、多くの人は「良くなったか自信がない」あるいは「改めて見直してみると元のアイデアで良いのでは」と思ったのではないか。それも仕方がない。プロのアイデアは一見して無理があったり間違いに見えたとしても、実際には「意味がある」「他の事情でこうなっている」などであることが多いからだ。だが、落ち込む必要はない。それは「作品について深く考え込む機会を得られた」ということなのだから。アレンジ発想法を試す意味は、まさにそこにあるのだ。

「面白さ」を発表する

アレンジ発想法とはまた違った形で、作品から得た感想、作品の内容をまとめる訓練を行いたい。この訓練には、協力してくれる友人が欲しい。人数が多いと最適だが、二~三人でも十分である。頼める友人がいなければ自室でストップウォッチを使って行うのでもいい。

何をするのか。ある作品について、

・あらすじ
・どんなところが面白いのか

の発表を行うのである。できれば抜き打ちで「これまで読んできた本の中で好きなものについて紹介して!」とやるのが最高なのだが(榎本事務所で指導している学校ではたまにやることもある)、そうもいかない。その代わり、あらかじめ喋るための原稿を用意するのはナシで、即興で紹介することを前提とする。

時間は自由に決めて良いが、最初は三分、慣れてきたら五分くらいで行うのが良いようだ。

なおこの時、紹介する作品の悪いところにはあまり触れないほうがいい。悪口を並べるのはそんなに難しくないし、アレンジ発想法のように「自分ならどうするか」を考えるのでなければ己のスキルアップにはつながらないからだ。

さて、「こんなのは簡単だ」と思うだろうか? ところが、これがなかなか難しい。クリエイター志望者の皆さんに挑戦してもらって、すぱっと時間を使い切って分かりやすい説明ができる人はほとんどいないというのが実際のところだ。

あらすじ部分だけでも「どんな要素を、どんな順番で紹介すればいいのか」と悩む人が非常に多い。そして実際、必要な要素を説明しそこねて聞いている人が「そもそもどんな話なの?」と混乱するさまもよく見られる。

感想部分については、そもそも「感想を言う習慣がない」「面白い面白くないなどの大雑把な感想は思い浮かんでも、その理由を他者に伝えられるほどきちんと言語化した経験がない」という人が多いようだ。

しかしこのどちらも、回数をこなすことによって十分に解消できる問題である。そして、物語のあらすじを誰かに伝えられるようまとめられ、自分の感じたことを言葉にできるというスキルは、皆さんが自分の物語を作る時にも大いに役立つはずなのである。

物語に触れた後、どうするのか

楽しみ、面白がる

↓

そして、その後に……

→ 既存作品

①あらすじをまとめてみる

その物語の中で何が起きたのかを、
余計な飾りを排除してまとめてみる

↓

物語の良いところ悪いところも見えてくるし、
何より「物語をまとめる力」が向上する

②アレンジ発想法を試してみる

メモの左側に
作品のポイントを
まとめる

→

メモの右側に
自分ならどうするか
を書き込む

考えることにこそ意味がある

③作品の内容を発表してみる

複数人で集まって、作品のあらすじと自分が面白いと
思ったポイントを発表する

↓

即興で喋るためには普段から作品のあらすじを整理して考え、
面白さに注目することが必要

TOPIC

日常生活の中でのインプット

日常の情報収集

発想のためには情報のインプットが必要だ――というのは既に紹介した通り。

高度情報社会を生きている私たちは、何もしなくとも日々凄まじい量の情報にさらされている。また、自分が欲しい情報を得ようとするのも、昔に比べれば遥かに簡単になった。

しかし、それでは私たちは発想のために適切な情報のインプットができているだろうか？

この問いかけに自信を持って「はい」と答えられる人はけっして多くないはずだ。情報の奔流にさらされて翻弄されるばかりで気付いてみれば自分の手の中に何も残っていない、あるいは関係ない情報や信用できない情報ばかりが手に入って本当に知りたいことにたどり着けない、ということがよくある。

この項ではそうならないための、適切な情報収集のテクニックを紹介する。

情報収集は大きく分けて二つの種類がある。

①日常的・受動的な情報収集

②明確な目的がある時の、能動的な情報収集

である。前者はアンテナを立てて情報を集め、「あ、これは面白そうだな」と覚えておくこと。後者は創作のために必要な情報がある時に、それが書いてある本やサイト、知っている人を探す行動である。

ここからの二項目では前者について紹介する。

情報をどんどん取り込んでいこう

人間の脳みそというのは大したもので、情報をどれだけ溜め込んでもパンクはしない。どんどん取り込んでほしい。

――別に、何もかも全部覚えていろと言いたいわけ

人間観察

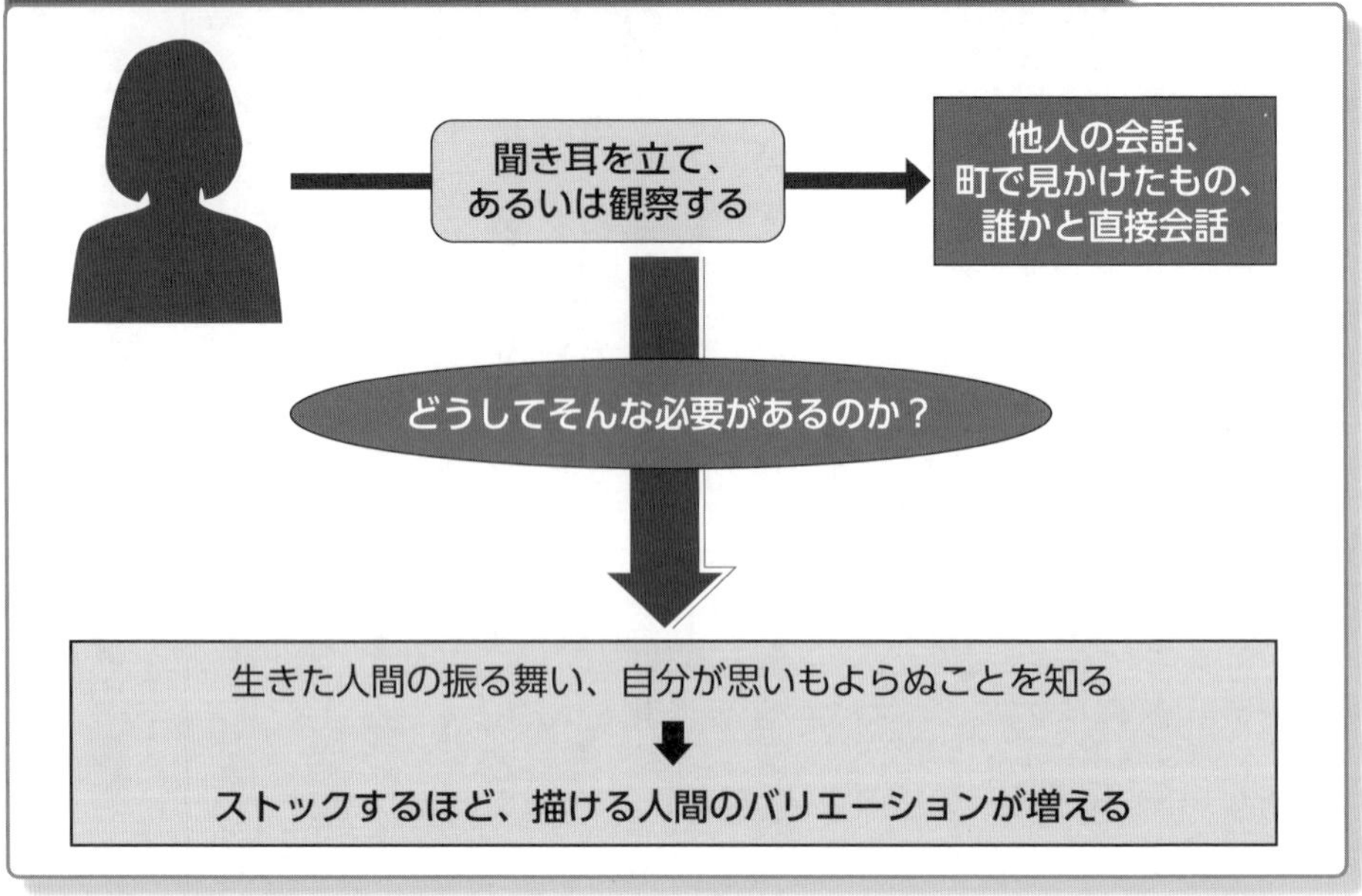
聞き耳を立て、
あるいは観察する
他人の会話、
町で見かけたもの、
誰かと直接会話
どうしてそんな必要があるのか？
生きた人間の振る舞い、自分が思いもよらぬことを知る
ストックするほど、描ける人間のバリエーションが増える

ではない。むしろ、細かいことを無理に覚えないほうがいいだろう。忘れてしまって構わない。その情報はあなたの頭の中から消えたわけではなく、単に「意識的には取り出せなくなっている」だけだ。無意識の領域には明確に存在していて、なんらかの影響を与えたり、あるいは刺激を受けたりすることによってすぐ思い出すことができるので、十分に有用である。

その際も「きちんと寝る」ことは忘れずに。人間の脳は寝ることによって初めて情報を整理し、記憶を定着させることができるのだから。

ただ、「忘れてしまっていい」のは各種情報の細かいところであって、基本的な単語はなるべく覚えておいたほうがいい。例えば、「いつか異世界ファンタジーに使えそうだな」と「ヴェストファーレン条約」について興味を持ってちょっと調べてみたけれど詳しいことは忘れてしまった、でも単語だけはなんとなく覚えている、それが大航海時代あたりのことであることも記憶にある、という状況である。

こうしておくと、何がいいか。ネット検索によってすぐさま調べ直すことができるのだ。そうしていくつかの説明を見ることで、あらかた思い出すことができるだろう。単語やごく基本的なことを忘れてしまうと、調べ直して思い出すことさえできない。

インターネットや各種データベースが普及した現代においては、「何かの資料を丸暗記している」などの深く狭いタイプの知識よりも、「いろいろな分野について大まかに知っていて、必要ならすぐにネットや図書館で追加調査ができる」という広く浅いタイプの知識のほうが役に立ちやすい。逆にいえば、深く狭い知識ならネットで検索した程度では出てこないレベルのことを知っていれば、競争相手と比べて非常に価値のある武器を持っている、ということになる。

人間観察のすすめ

特に、「人」に関する情報は意識して目に入れ、耳に入れることをおすすめする。

噂話に聞き耳を立てたり、身近にいるお喋りな人に「最近なんか面白い話ある?」と水を向けたり、TVのちょっと下世話な情報番組やワイドショーなどをつけたり、ラジオで人生相談や愚痴を募集する番組を聞いたりしていると、実にいろいろな「人」に関する話が聞こえてくるはずだ。

「怒った話」「悲しかった話」「許せないと思った話」「儲けた話」「損した話」「羨ましかった話」「いい気味だと思った話」「自分一人が苦労している話」「●●さんが不倫した話」「××さんがズルをしている話」……噂話はどうしても下世話な方向に行ってしまいがちだが、職場、学校、井戸端、電車の中、ファミレスなどで、実に多種多様な話が聞こえてくるはずである。

さて、これらの話を聞いて、どうしたらいいのか。噂話そのものはどうでもいい。ゴシップ屋になってもいい創作はできない。大事なのは、「世の中にどんな人間がいるか」「いろいろなシチュエーションにおいて、人間はどのように行動するか」を知る、ということである。

下世話な方向から行こうか。不倫がバレた時、人はどうするのか。無言で逃げるのか、口先だけでごまかそうとするのか、暴力によって解決しようとするのか、金で解決しようとするのか。多種多様な選択肢があり、それは各個人の個性につながっている。

おじさんの言いそうなこと、やりそうなこと。おばさんの言いそうなこと、やりそうなこと。男子高校生は、女子高校生は、サラリーマンは、ＯＬは、主婦は、弁護士は、政治家は……。

たくさんの「話」を収集した人の中には、種々さまざまな人間の性格と言動がストックされていることだろう。それはつまり、人間を知っているということだ。創作に際して、例えば一口に「なんか今時の高校生を登場させたいな」と考えた時に、テンプレート的な誰でも知っている高校生ではなく、バリエーション豊かにいろいろなタイプの高校生を登場させ、また細かく描写できるということだ。

これはどんな種類の創作をするにしても大きな武器になる。「人間」を書かないで済むエンターテインメントは基本的にないからだ。狭義の意味での人間を描かないにしても、「人間のように振る舞う猫」とか「知性のあるＡＩ」のような、広義の意味では人間（あるいは「キャラクター」）に含まれるものを書かねばならないことがほとんどである。となれば、「人間」をどれだけ多種多様に、そして詳しく知っているかどうかが面白さにつながるに決まっている。

このような「人間」研究が直結するエンタメの一つが「お笑い」だ。お笑い芸人が人を笑わせるためのテクニックの一つに、「人間が無意識にやっていること、当たり前だと思ってスルーしていること、ある地域やグループでは当たり前に行われているが他所では知られていないこと」をピックアップし、強調する、というものがある。「え、こんな人いるの？」「言われてみれば変だなあ、これ」——そんな驚きが笑いに直結する。

一例として、モノマネ芸はこのタイプの笑いの典型と言えるだろう。「形態模写」といえば本当にそっくりそのままに再現するイメージがあるが、現代のモノマネ芸になると必ずしもそっくりとは限らない。

むしろ、彼らの芸は時に本人と大きくかけ離れ、にもかかわらず「似ている」と感じさせる。それはなぜか。本人そのものよりも、世間が抱いている「●●さんはこういう感じだよな」というイメージを忠実に演じるからだ。イメージはしばしば本人のありのままよりも露骨であり、またtotal めったに言わないが印象的なセリフがイメージの中心にあったりする。結果、「似ていないのに似ているモノマネ」が成立するわけだ（なお、別パターンとして、本人の特徴を非現実的なまでに強調することで「似ていなくもないがそれより何より滑稽である」形で笑いを取るモノマネ芸もある）。

話を「ああ、こういう人いそう」「え、こんな人本当にいるの？」の笑いに戻させてほしい。この種のネタを作るためには、人間観察が欠かせない。人が集まる場所で、世の中にどんな人がいるか、彼らはどんなふうに振る舞い、どんなことを話すかを注意深く観察して、「あ、これはネタになるな」と閃いて初めてネタが作れるわけだ。

特に面白いネタが作れるのは、自分が慣れ親しんだ環境の面白さ、特異さに気付いた時であるように思う。その代表格として、ここでは博多華丸・大吉の漫才を紹介したい。名前の通り九州福岡、博多の出身である彼らの持ちネタの一つは、「博多のおじさん」の振る舞いを面白おかしく演じるというものだ。ネタを書くのは大吉だが、その肝になるのは華丸が演じる「博多のおじさん」がいかに真に迫っているか、ということ。博多の土建屋出身で、生まれた頃からずっと「博多のおじさん」たちに囲まれていた彼は、実にユーモラスに、そして自然とそれを演じてみせる。そこに彼らの漫才の面白さの一つがある。それもまた、無意識に彼らが積み重ねてきた情報収集の結果なのだ。

取材のすすめ

このような情報収集をさらに一歩進めると「取材」になる。取材という言葉にもいろいろな意味があるが、ここではネットで調べたり本を読んだりするのではなく、実際にその場に足を踏み入れたり、人の話を聞いたり、という意味で使わせてほしい。

取材など大仰だ、と思うだろうか。しかし文字情報に頼らず自らの五感で調べに行くのは大事なことだ。森を描くのにも、建物を描くのにも、あるいは人間を描くのにも、実際に見て、聞いて、触れて、感じた経験は確実に役に立つ。そもそも先ほどまで紹介していた「聞き耳」情報収集だって、立派な取材なのだから。

とはいえ、新聞記者的な取材——当事者や情報通、学者先生や専門家に話を聞きに行くのはなかなかハードルが高い。ある程度大きな組織であれば窓口として広報部があるから、そこのメールアドレスにダメでもともとメールを送ってみるのもおすすめではあるが、度胸がいる。

そこでおすすめなのが「人の話を聞きに行く」ということだ。そんなことをして何になるのか、と思うだろうか？ しかし、これは、先に紹介した「聞き耳を立てたり本を読んだりして人間観察をしよう」という試みをさらに一歩進めたものにすぎないのである。誰かの話を横で聞くよりも、自ら「あなたはその時どう思ったんですか？」と聞いたほうがより詳しいことを知ることができるに決まっている。

どんな人の話を聞くのがいいだろうか。

一つの選択肢は、「自分とは大きく違う立場、職業、経歴、事情、性格を持つ人の話を聞く」ことだ。これは非常に分かりやすい。立場や職業、経歴が違えば、それまでに経験してきたこと、知っていることが違う。性格が違えば、一つの物事について感じることや注目することが違う。自分の知らないこと、感じないことを聞くのは、見聞を広めるのに最高の体験である。

特に最近の日本では外国からの留学生や旅行者、就労者と出会う機会が非常に増えた。アニメや漫画などのエンターテインメントを軸に話が盛り上がるようなこともあるだろう。そんな時に、彼らの目から見て日本や自分や世界がどう見えるのか。彼らはどんな価値観を持っているのかなどを聞けると、今後の創作に大いにつながることであろう。

そんなのは取材よりも難しいよ、という人もいるかもしれない。そこでもう一つの選択肢がある。話を聞くのは、身近な人――友達や近所の人、同僚、家族がいい。これは、あなたが「地元」や「身の回り」について再確認する、すごくいいきっかけになる。

そんなものを知っても何の意味もない、と思うだろうか。いいやそんなことはない。あなたが良い物語を書くためにも、また特に青春ものなどを書く時にリアリティがあって血が通った描写を思いつくためにも、大いに役立つはずだ。

「特別」を求めて

もう少し話を掘り下げよう。

良いアイデア、良い発想というのは一種類ではなく、状況次第でさまざまな要素が当てはまる。その中の一つに「ライバルの作品と差別化でき、読者に新鮮味を覚えさせられるアイデア」がある。

小説ならデビューするために新人賞に送り、デビュー後は書店の棚で現役作家たちと比べられる。漫画なら持ち込みで編集者の評価を勝ち取り、読み切りで読者の興味を掻き立て、連載開始後は同じ雑誌のライバルたちと永遠の競争をすることになる。ゲームでも似たようなものだ。

似たような作品が多くある中で、あなたの作品を手に取ってもらうにはウリ＝武器＝特徴が必要だ。それが「差別化」である。皆このことは分かっているが、実際に作品を書く際には差別化が頭から落ちて、ふわっとした「どこでもないどこか」を書きたがる。

なぜか？　それは楽だからだ。

「どこでもないどこか」はそれまでにエンタメ作品を楽しんだ体験と、頭の中でイメージをこねくりまわすことで書けてしまう。

しかしそれは、書きやすいだけで、他の作品と差別化ができないし、読む側にとっては魅力がなくなる。

もしあなたが

・すごく変なことを思いつく人
・すごく特別なことを知っている人
・すごく特別な経験をしている人

であれば、この問題は解決する。

仮に「どこでもないどこか」を書いたとしても、あなたの発想力や知識、経験は十分にカバーができるものだ。加えて、本書の他のパートで教えている発想はある程度その助けになるはずだ。しかし、簡単なことではない。どうしたらいいだろうか。そこで「地元を生かす」ことが効果的なのだ。

皆さんがこれまでの人生で見てきたもの、過ごしてきたことは、まったく何の加工もせずに物語のメインテーマに配置して面白がってもらえるほど特別なことではないだろう。しかし、「どこでもない場所」のディティールを埋めて「ああ、こういう場所もしかしたらどこかにあるのかも」と思わせる力はある。なぜなら、皆さんの経験はそれぞれユニーク（特別、ではなく固有、の意味）だからだ。そのユニークさの根幹にあるのが「地元」なのだ。

近年、ヒットする青春ものがしばしば「青春地方もの」とも言うべきスタイルを取ることがその傍証《ぼうしょう》になるのではないか。アニメ『ガールズ&パンツァー』の大洗は昔からの観光地だったが、今では『ガールズ&パンツァー』が海水浴場に並ぶ目玉になり、多くの聖地巡礼者を引き寄せている。アニメ史上に残る大ヒット映画『君の名は』のストーリーの半分は岐阜を舞台とするし、同監督の『天気の子』は東京という町の情景を美醜合わせて描写している。さらに『すずめの戸締まり』でも、主人公が東北生まれであることに大きな意味があるのだ。

地域に住む人々が持つ固有のキャラクター性も見逃せない。キャラクターに方言を話させることである種の属性を付加する（関西弁なら軽薄、東北弁なら純朴、鹿児島弁なら頑固……などなど）ことができる（そうでなくとも「方言を話す少女」そのものを魅力的なキャラクター属性と受け取る人も多い）。

この背景にあるのは「県民性」という概念だ。ある地域に住んでいる（方言を使う）人は、似たような性質を持つ、というわけだ。なるほど、そういうことはある程度あるのかもしれない。東京は情報も経済もすごい勢いで動いている場所だから、「東京人は新し物好きで動じない」とか、静岡は冬に雪も降らない暖かい場所だから「静岡人はおっとりのんびり」という具合に考えると、それなりに説得力もありそうだ。

その地域の人に「この地域の人の性格はどんなもんでしょう」「隣の地域はどうでしょう」と聞くと、なかなか興味深い感想を聞くことができる。経験上、隣の地域については（自分の地域のことを棚に上げて）悪く言う人が結構多いような……。

とはいえ、これはあくまでステレオタイプ的価値観にすぎない。一つの地域に住んでいる人が皆似たような性格である可能性はまずないだろう。「なんとなくこんなタイプの人がよそよりは多い」というふわっとした傾向があり、「こういう性格の有名人がこの地域から出たからこんな人が多いだろう」という推測があり、同地域あるいは隣の地域の人による「あそこの連中はこんな奴らばかりだ！」という悪口があり……さまざまな要素が盛り込まれて、イメージとしての県民性が生まれたと考えるべきだろう。

あなたの目で見て、人に聞いて、地元はどんなふうに見えるだろうか。ネットや本などにある通りの県民性を感じ取れただろうか。それとも、もっと別の傾向を読み取っただろうか。そうして見えてきたものは、あなただけの「ユニーク」なのである。

遠慮は大事

ただ、ここで一つ注意喚起をしておきたい。それはズバリ「観察や取材はあまり露骨にやらないほうがいいよ」ということだ。

言い換えよう。ファミリーレストランで他者の話に聞き耳を立てるにせよ、街角のちょっと面白い人を観察するにせよ、あるいは特定の誰かから取材として話を聞くにせよ、あなたが強く好奇心を発して「知りたい」「知りたい」とアピールすると、相手から嫌われる可能性がある、ということだ。

見たり聞いたりはジロジロ観察したり身を乗り出して聞いたりではなく、「たまたま面白い話に遭遇できてラッキー」の気持ちで。メモを取る時も好奇心丸出しではなく、覚えておいて後で記録するくらいのほうがいいだろう（スマホを使っている場合はそんなに目立つこともないだろうが）。誰かに話を聞く時も、積極的に根掘り葉掘り聞き出すよりは相手が話してくれる流れに任せて、あくまで聞き役に回るべきだ。

冷静になってみれば多くの人には分かるはずの話だ。内輪の話を聞かれて愉快に思う人も、「変な人がいるぞ」という目でジロジロ見られて喜ぶ人も、「私は非常に面白がっているので、あなたの事情を何もかも全部聞かせてください」とずばり言われて「そうですか、では面白がってください」と答える人も、そんなに多くない。たいていの人は怒ったり、困ったり、不快になったりするはずだ。

あなたがよほど露骨かつ不躾な「観察」「取材」をしない限り、いきなり怒って殴りかかってきたりする人はほとんどいないだろう。だが、にっこり笑って許してくれる人もまた少ない、ということを忘れてはいけない。

本書冒頭でも紹介した通り、創作——特に「発想」という心の動きにおいて、好奇心は非常に重要だ。アイデアのもとになる情報収集のためにも、新しい思いつきを探し出すためにも、好奇心は欠かせない。ところが人間、自分が面白がるのはいいのに、他人に「面白がられる」というのがいつも気持ちのいいこととは限らない。

もちろん、自分のことを知ってほしい、自分に興味を持ってほしい、という欲求も存在する。ただそれは「自分のいいところを知ってほしい」や「自分にとって親しい人にもっと深く理解してほしい」であるはずだ。「自分の嫌なところを知ってほしい」や「自分と親しくもない人に深いところまで見てほしい」とはならないはずなのである。それはもう人間にとって当たり前の心の動きである。

だから、観察も、取材も、悪目立ちしすぎないように、相手を不快にしすぎないように、そして相手の事情や内心に踏み込みすぎないように、程々にするのが肝要だ。

面白がるのもほどほどに

これに関係して、もう一つ。

クリエイターの好奇心＝すなわち「面白がる心」「興味を持つ心」、あるいは「仮定を考える心（こうだったら面白いなあ）」というのは、よそから見るとびっくりするような話だったり、気味悪がられたりする可能性も考えねばならない。

例えば、いわゆる男子の定番中二病的妄想の一種に、「学校を占領したテロリストＶＳ俺」というのがある。妄想の中の自分が知識・技術・特殊能力（もちろんそんなものの持ち合わせは普通ない！）を総動員して絶望的な敵に立ち向かうアレだ。本書の読者には覚えのある人も少なからずいるのではないか。

同種の妄想に「今目の前にいる奴が襲いかかってきたらどう対処するか考える」「新しい巨大建築物ができるたびに、どんな怪獣・超常現象・天災で壊れたら美しいか考える」などがある。

これらは妄想している間は楽しいし、また創作にとってある種の訓練にもなる。架空の物語として書くのもＯＫだ。罪には問われない。しかし、このようなことを考えていることを他者に知られたら、どうなるか。それがエンターテインメントに理解のない人なら、

取材・観察の注意点

取材・観察は有用だけれどそんなに簡単な話ではなく……

たくさん観察し、取材して、
知識も増やして物語を豊かにしよう！
ビクビクするより行動だ！

トラブルを引き込む可能性あり！
慎重に行動する必要がある

何が問題なのだろうか？

プライバシーに
踏み込まれることを
好まない人は多い

創作のための取材に
誰もが協力しないと
いけないなどと
いうことはない

観察はさり気なく控えめに、取材も丁寧な態度で。
無理強いせず、「周りの面白いことを覚えておこう」
の態度を忘れずに

少々気味の悪い目で見られるのは覚悟しなければいけないだろう。

刺激を求めてどこへ行こう、何を見よう

強い刺激、明確なインスピレーションを求めて、遠出をする人もいるだろう。どこへ行くのがいいだろうか。興味のある場所があるなら、そこへ出かけるのがよい……で済ませては本書の意味がないので、いくつかの示唆を提示したいと思う。

一つの最適解は、自分の活動範囲と違うところ、自分の知らない人がいる場所になるだろう。海外はこの条件にピッタリ合うが、時間的にも資金的にも厳しい人は多い。国内だって、さまざまな新しさを見出すことができる。

例えば、この十年くらいのあいだに国内の有名観光地では、どこもだいたい複数の言葉で標識や品物の価格表が見られるようになった。中国韓国台湾を中心に、海外からの観光客が以前よりさらに数多く訪れるようになったからだ。これは国を上げての政策が功を奏したという側面もあるし、経済成長の停滞から物価が上がらず「観光地として手頃な国になった」という事情もある。

そのことは観光地に、そこに住む日本人に、かつて常連客だった人々にどんな影響を与えただろうか。新しい商売を始めるなど変わった人もいるし、変わらない人もいるはずだ。外国人と積極的に関わる人が、内心で複雑な想いを噛み締めていることもあるだろう。外国人から距離をとっているけれど、心のなかでは感謝している人もいるだろう。

その土地ではどんな事件が起き、人々にどんな影響を与えるだろうか——こんなふうに想像をたくましくするのは、クリエイターを志す人々にとってほとんど義務だ。日々を過ごす生活空間ではなかなか自由に思考をめぐらせるのも難しいかもしれない。だが、異郷の地であればどうだろう。見るもの聞くもの珍しいとなれば、あなたの興味も刺激され、いろいろなことを考え、想像の翼を広げることもできるのではないか。

美術館・博物館で何を見る

もうちょっと、手近なところで刺激やインスピレー

ションの源を探してみよう。であれば、美術館、博物館、記念館、資料館――つまり、なんらかのテーマに基づいて展示を行う施設をおすすめする。

こういうことを授業などで話すと、しばしば「興味ない」という顔をされる。実際、学校の行事などで美術館や博物館に足を運んでも退屈なばかりで何の刺激も受けなかった、という経験を持つ人は多いはずだ。入場料も安くないところが多いから、いよいよ足は遠ざかる。

しかし、ここはあえて過去のトラウマを乗り越えて興味を持っていただきたい。クリエイターを志すもの、己を刺激してくれる選択肢は多ければ多いほどいいからだ。

美術館や博物館からいい結果を導き出すためのヒントをいくつか紹介したい。

一つは、興味のあるテーマを選ぶ、ということだ。絵にまったく興味がないのにとりあえず美術館に行ってみる――ではただ退屈なだけで終わることが多い。自分の住んでいる地域の過去についての博物館や、漫画やアニメのような自分の趣味に関係する資料館、そして特別展で興味のあるテーマについて扱っている時に出かけるのがおすすめだ。

もう一つは、ただ絵や展示品を見て終わりにするのではなく、イメージを広げる、ということだ。

「この絵は何を意味しているのだろうか?」

「この展示品が博物館に収められる前の実用されていた頃、どんなふうに使われていたのだろうか?」

絵や展示品そのものはもちろん、タイトルや近くに書いてある解説がヒントになる。可能ならあらかじめ下調べをしたり、近くにいるスタッフに質問をしたりするのもいいだろう。

ただ、できればあなた自身の想像力によって「これってなんだろう」と考えてほしい。まったく的外れでも構わないのだ。「自分はこう思う」というとりあえずの結論にたどり着くまで頭を働かせることが、発想力の訓練になる。その上で、正しい知識も吸収して自分の答えと比べるのが望ましい。

その意味でおすすめしたいのは絵画なら「風景画」、そしていわゆる「印象派」「抽象画」「現代美術」である。この中でも風景画と印象派は特に初心者向きだ。

刺激を受け、インスピレーションを得る

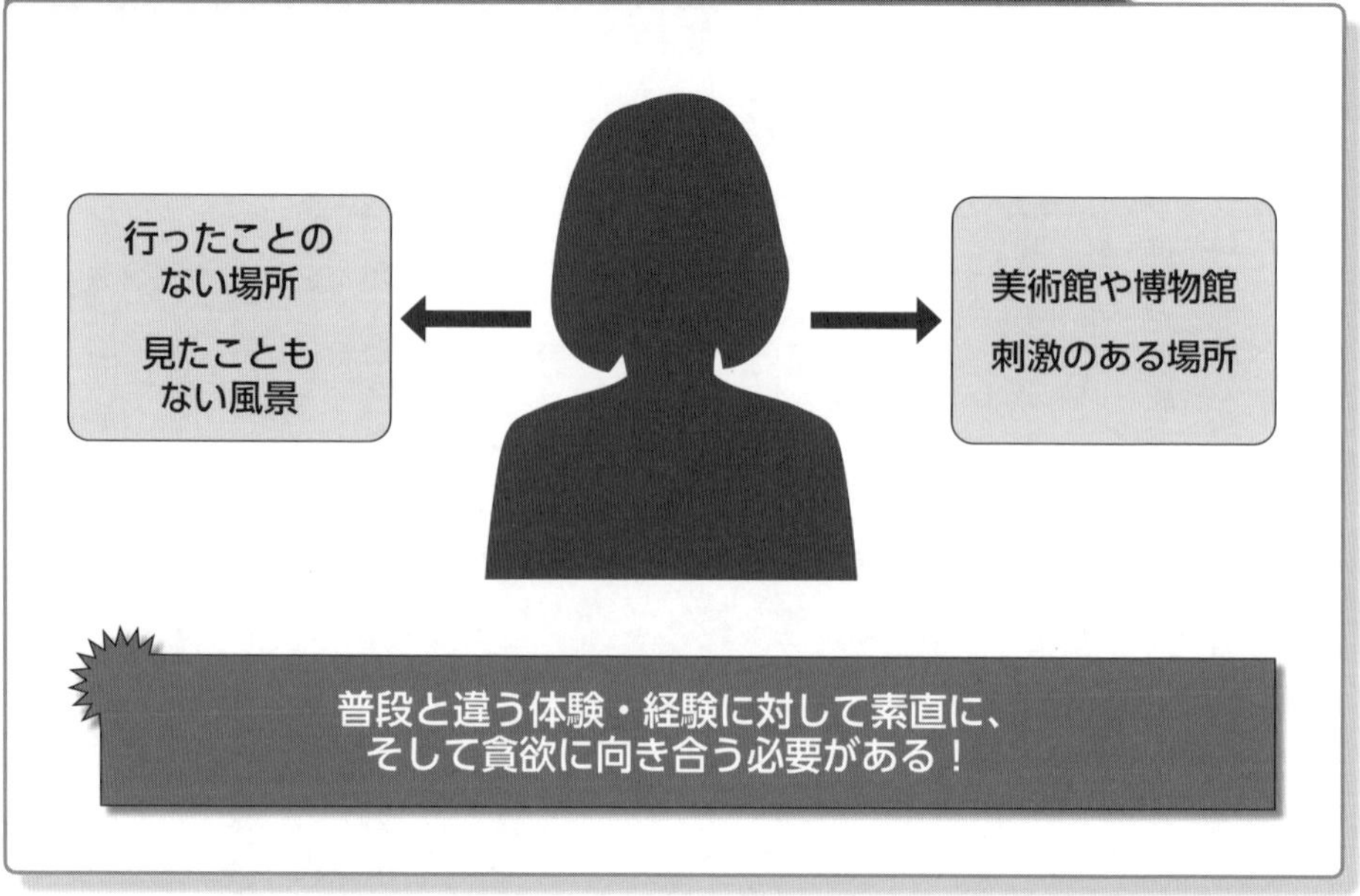

行ったことのない場所
見たこともない風景
美術館や博物館
刺激のある場所
普段と違う体験・経験に対して素直に、そして貪欲に向き合う必要がある！

風景画は文字通り風景を描いたものだ。ただただ自然を描くこともあるし、そこに人が映し出されることもある。東アジアの山水画なども風景画の一種といえよう。この風景の中で生きる人々はどんな暮らしをし、どんな話をし、どんな物語を演じるのだろう、と考えてほしいのである。

印象派、抽象画、現代美術について詳しく語るのは専門の書籍や事典に任せ、ここでは詳述しない。大事なのは、これらの芸術ジャンルでは現実のありのままを描こうとするよりも、クリエイターの感じた印象や、物事の本質を描こうとする傾向が強いということだ。自然、第三者から見ると何を描こうとしているのか、何を伝えようとしているのか、よく分からないものになりがちだ。

そこで、皆さんには「これはなんだろう」とじっくり考えてほしい。

作者が想定していたり、世間一般が賛成してくれたりするような正しい答えになどたどり着かなくていい。もしかしたらそんなものはどこにもないのかもしれない。大事なのは考えることそのものなのだ。

TOPIC

メディアを通じてのインプット

己の目や耳を使っての情報収集を紹介した前項に対して、ここではメディアを用いての情報収集を紹介する。

メディアから得られる情報の量と幅広さは実体験で得られるそれとは比べ物にならない。しかしそれだけに注意しないと偏った情報ばかりを得てしまう可能性がある。そうならないためのアドバイスをするので、参考にしてほしい。

インターネットという革命

日常的に情報を得る手段といえば、その最古は口と口で伝わる噂話、親から代々受け継がれる教え、あるいは村の長老が聞き覚えていた昔話や神話、旅の吟遊詩人が歌い広める事件……と言ったところか。やがて新聞が生まれ、電信から電話へ発展し、ラジオやＴＶが生まれて、現代へ至る。

そんな現代を生きる私たちが情報を得るにあたって用いるのは、その第一はやはりインターネットになるであろう。インターネット（特にパソコンとスマートフォンによるネットへのアクセス）の普及以前と以後では情報の伝達と入手の速度と容易さがまったく変わってしまった。かつて、

「この言葉は正しいかな？」

「あれってどんな意味だっけ？」

と迷った場合、私たちは蔵書を当たるか、書店で本を購入するか、図書館で借りてくるか、知っている人から聞くしかなかった。どれも時間・資金コストが高い行動である。

ところが今はどうか。あなたの手元にインターネットにつながっているパソコンあるいはスマホがあれば、それを取り出し、インターネットブラウザを起動し、グーグルなどの検索エンジンに接続して調べたいキーワードを入力すれば良い。

ニュースサイトはいよいよ充実し、どれだけ横着な

インターネットの長所と短所

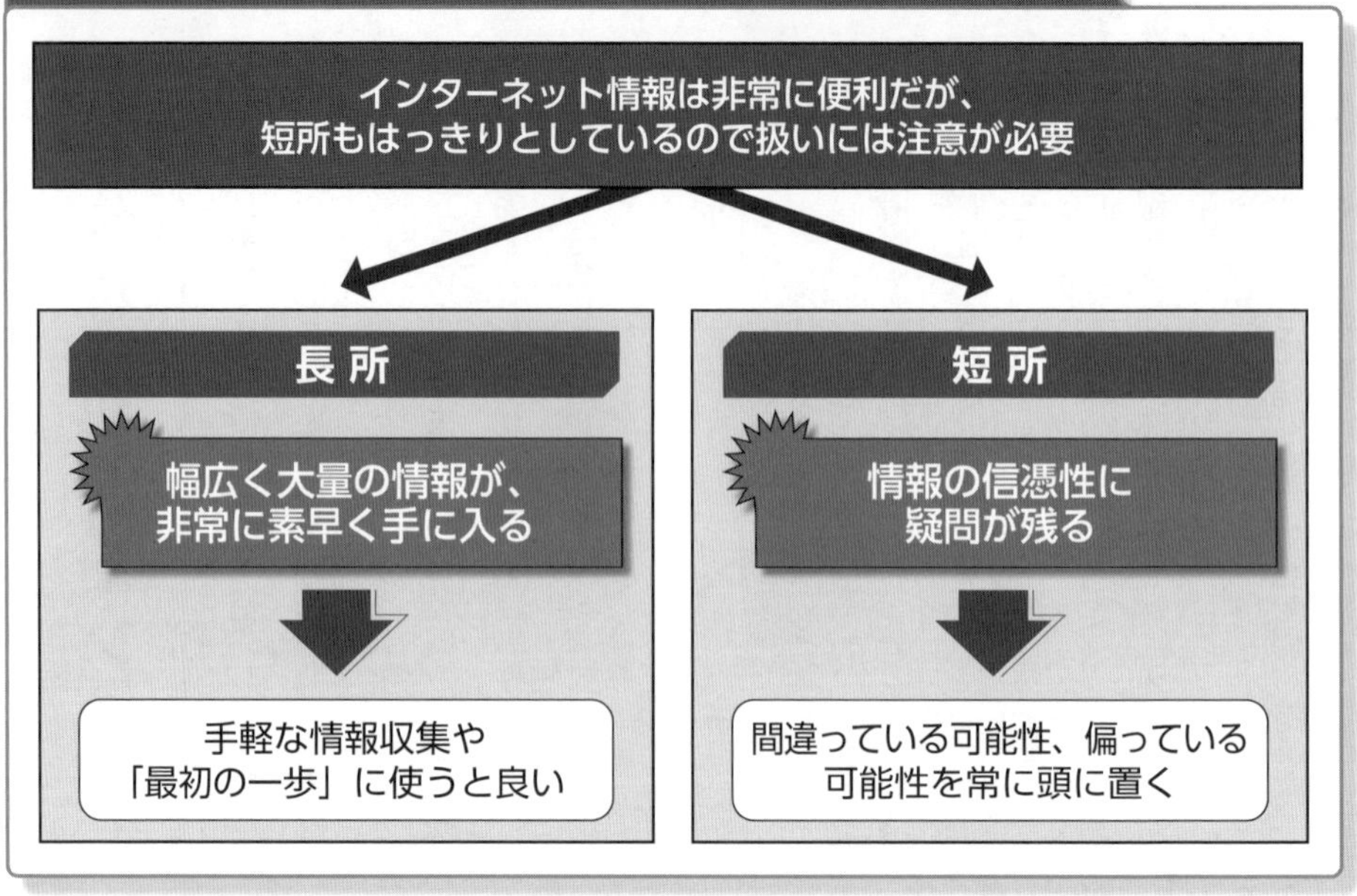
インターネット情報は非常に便利だが、
短所もはっきりとしているので扱いには注意が必要
長所
幅広く大量の情報が、
非常に素早く手に入る
手軽な情報収集や
「最初の一歩」に使うと良い
短所
情報の信憑性に
疑問が残る
間違っている可能性、偏っている
可能性を常に頭に置く

人であっても、

「朝御飯食べながらちょっとヤフージャパンのトップページに目を通してみようか」

「スマホのアプリが勝手に表示してくれるニュースくらいは通勤通学のついでに見てみようか」

くらいはできるはずだ。これで「今の総理大臣って誰」とか「世間を揺るがすニュースって何」とならずに済む。

ウィキペディアの網羅性と情報量はもはや紙の辞書では太刀打ちできないレベルに達している。どんな書店や図書館に行っても、ウィキペディアと同じだけ広い範囲の情報を同じだけ詳しく、そして同じだけ最新の鮮度をもって収録している本などありはしない。

一つの物事に対する世間の反応や、あるいはちょっと面白い話などを知りたかったら、いわゆるまとめサイトに接続する人が多いだろう。X（旧ツイッター）のようなSNS、あるいは「5ちゃんねる（旧2ちゃんねる）」のような巨大掲示板群への投稿などをまとめたもので、面白い話、ワクワクする話、笑ってしまう話などをさまざまに見ることができる。

さらにユーチューブやニコニコ動画に代表される動画サイトという情報源まである。時事、政治、歴史、経済、文化などを動画として紹介することで情報の入手・理解のハードルが非常に低くなっている。文字を目で追うのは苦手だけれど、耳で聞くのなら理解できる、動く映像なら分かる、という人が相当数いるのだ。

どうも「文字で書かれた文章（書き言葉）」よりも、「人間が喋った言葉（話し言葉）」のほうが耳に残りやすい、頭に入りやすいというのはかなり一般的な法則であるらしい。同じ内容であっても本より動画の方が印象に残る、分かる、ということが起きるのだ。だから本を選ぶ際にも、対談方式や作者が語るスタイルの本（講演録など）のほうが理解しやすいということがあるようだ。参考にしてほしい。

ネット情報の危うさ

このようなネット情報には大きな問題がある。それは情報の信憑性だ。平たく言えば「そこに書いてあることを信じていいのか？」ということである。

もちろん、新聞や書籍のような既存の情報源だって常に正しいことが書いてあるとは限らない。速報性の高いメディアはどうしても確認が不足することがある。情報発信全般に、書き手や出版社の先入観や偏見、政治的なポジションからの偏った意見が入る可能性は排除できない。

また、当時は決して間違っていたり問題があったりした情報ではなかったのだけれど、時代が進んで間違いになってしまう、ということも多い。

しかしそれでも、既存のメディアにはある程度のチェック機構があるし、「この本を書いたのは誰かな？」と確認することで信憑性を判断することもできる。

だが、ネット情報はここが違う。まとめサイトに書かれていることの多くは個人発信で、その個人が何者であるかも分からないことが多い。面白おかしく書かれた体験談が本当に起きたことなのか？　それとも、誰かが作ったフィクションにすぎないのか？　それを判断するのは容易なことではない。場合によってはなんらかの意図を持ち、プロパガンダ的目的に基づいて書き込まれた話だってあるだろう。

そのため、ネット発の情報は既存メディアのそれ以上に慎重に接する必要がある。誰かが適当に書いたり、でっち上げたりした話であるかもしれないと常に考え、言わば「話半分」で対応する必要があるのだ。

新聞や雑誌はまだ価値がある

ＴＶとインターネットの登場で、新聞・雑誌の持つ意味合いが大きく後退したことは認めざるを得ない。特に新聞はスピード性がウリのメディアとして登場したのに、ＴＶ、あるいはインターネットの速度にはどうしても敵わないからだ。

しかし、新聞、雑誌固有のメリットはまだある。ここでもアナログ特有の視認性が出てくるのだ。新聞を広げ、めくった時に見出しが目につく。その中で気になった項目を見ればよい。デジタルではまだ難しい分野である。

では、新聞のどこを見ればいいのか。目立つのは政治や経済、あるいは殺人や誘拐などの大事件、トップニュースだが、あえて後ろのほうの社会面や文化面、あるいは地域によって内容が違う地域面などに目を通してほしい。ここに載っているのは日常のちょっとした出来事やスケールの小さな事件などだが、そうであるからこそ参考になる。

つまり、次のようなことを考えながら目を通してほしいのである。

「この小さな事件はもっと大きな事件を隠すための情報工作なのではないか？」

「何かしらのトラブルの影響がこの記事に現れているのではないか？」

「こういう事件に遭遇したらキャラクターたちはどう思い、彼らの関係はどう変わるだろうか？」

最後はともかく、最初の二つはまるでテロリストのような物騒な思考であるが、クリエイターはそんなものである。デカい建物を見たら巨大怪獣か天災でぶっ潰せないかと考える、不思議な気象現象が起きたら何かファンタジックな力が後ろに働いているのではないかと考える、ＵＦＯの噂は何かのダミーではないかと疑う、の心得でいてほしい。

ちなみに、単に新聞を情報ソースとして活用したいなら、各新聞社が提供するデジタルサービスに加入する手もある。

多くは記事の冒頭部分のみが無料で読めて（あるいは無料登録すると一部の記事だけが本数制限つきながら最後まで読めて）、本格的に読むためには有料登録をする必要がある。検索可能なことから有用だが、当然ながら一社のサービスと契約しても読めるのはその社の新聞記事だけ。余程時事的なことに興味がある人以外には手が出しにくいかもしれない。

逆に言えば、政治や経済など時事的なことに興味がある、あるいはなんらかの大問題・大事件を多面的に捉えたい人は、新聞の購読にコストを払って損はない。それも、複数の新聞に目を通すと良い。これはジャーナリストや時事問題のライターが行う新聞の読み方なのだ。なぜそんなことをするのか。新聞は必ずしも事実を客観的に伝えるものではないからだ。どんな情報を、どう切り取り、他の情報とどう関係付けて、どんな言葉で伝えるか……そこに各新聞社、各記者の主観が入るし、見る人の印象も変わる。必ずしも嘘をついているわけではない。情報を伝えるというのはそういうことなのだ（各紙が固定の読者を抱えていて、それゆえに伝えるニュースに色がつくという事情もなくはない）。

常にこれをやっていたら本当にただのジャーナリストだが（実際、分かりやすい解説で一世を風靡した池上彰が実践しているという）、政治、戦争、経済、社会などをテーマにした作品を書きたい人は、一度くらいやってみてもいいのではないか。つまり何かしら大きな事件があった時に図書館に行って、読売、朝日、産経、毎日、東京……と何紙か同じ事件について書いている記事を並べ、見比べるのである。

これによって偏った視点ではなく、客観的に物事を見る目が養われる。現代の政治ものやサラリーマンものなどに限らず、ファンタジーでも政治や戦争などスケールの大きな要素が関わってくるお話が書きたいなら一度挑戦してみてもいいのではないか。

書籍から得られる情報の大きさ

ただ、やはり新聞・雑誌・インターネット（及びＴＶ）の情報では幅広さ・量・深さの点で限界がある。ノン

新聞・雑誌・書籍

新聞・雑誌

インターネット
ＴＶ

→ 情報の速度では新しいメディアが上 →

新聞
雑誌

ひと目でニュースが分かる視認性やコラムなど、面白い部分はある

書籍

情報の信憑性や幅広さから言っても、
ノンフィクションの書籍が一番信用できる情報源

↓

**本を定期的に購入し続けるのはそれなりにハードルがあるので、
図書館を活用すると良い**

フィクションの書籍を読むことで得られる知識・情報は格別のものだ。何か目的があって調べる時だけでなく、常日頃から本を読む習慣をつけていきたい。

この時の最大の問題は、書籍が安くないということだ。そこで新書をおすすめしたい。だいたい一冊千円前後という金額は学生には辛いかもしれないが、社会人であるならそこまで無理せず出せる金額であろう。

新書の特徴はその安価さと、コンパクトなサイズ、そして多くの場合は平易な言葉による入門書的な内容になっていることだ。各ジャンルの専門家やライターが、そのジャンルについて興味がある人のための入り口として書くことが多い。あるいは芸能人やスポーツ選手、特異な経歴を持つ人のエッセイ・自伝的なものや、エピソード集などもしばしば見られる。これらもまた各ジャンルへの入門的な意味合いを持つ。

新書であってもなお金銭的に負担が重いという人は、ぜひ図書館を活用してほしい。たいていの場合、各ジャンルの棚には新書をまとめて陳列したスペースがある。その中から、自分の興味に合致したもの、あるいはタイトルが気になるものなどを選ぶと良い。

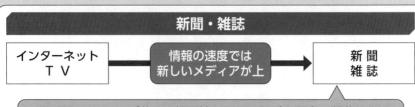

TOPIC

能動的調査

まずはネットであたりをつける

特定の情報、ある分野の知識を求めている時には、どうしたらいいのか。

第一にはインターネットで「当たり」をつけるのがよい。ネットで見られる範囲の新聞記事、そしてウィキペディアの記事を見れば、大方のことは分かる時代である。

しかし、既に紹介したようにこの時点ではまだ確実な情報は少なく、細かく分かることは信憑性が低い。「ウィキペディアやブログなんかはこう言ってるけど、さて本当かな」という程度で留めておくべきだ。

この時大事なのは、役に立ちそうな本、ウィキペディアで出典になっている本をメモしておくことだ。はっきり言って、信憑性が低めの情報を記憶するよりも、こちらの「使えそうな本の確認」のほうがこの時点ではよっぽど重要だ。

使えるかもしれない情報、役に立ちそうな本の当たりをつけたら、いよいよ実際に調査し、理解するフェーズに入る。

誰か個人や組織が知っている情報が必要だという場合、電話やメール、あるいは先方に赴いて取材するのは一つの選択肢だ。ただ、前項で紹介した通り直接取材はクリエイター志望者のほとんどにとって荷が重い作業であろう。

そこで、多くの人は本を読むことで調査することになるはずだ。

本を買うだけの資金がある人は、ぜひ買ってほしい。手元に残せるというのは素晴らしいことだ。今なら電子書籍がかなり充実しているから、本屋が閉まった夜でもすぐさま資料が揃えられるようになった。その点でも買えるなら買ってしまったほうがいい。

ただ、やはり資金が不安な人も多いだろう。こんな時は先にも紹介した通り図書館だ。

図書館で選ぶべき三つの選択肢

図書館ではまず何をすればいいのか。選択肢は三つある。

一つは、あらかじめ目星をつけておいた本のもとへ走ることだ。近年はだいたいの図書館が独自のサイトを持ち、検索サービスも大変に充実しているので、どんな本が所蔵されていて、どの棚に置かれているか（あるいは貸し出し中で今はないか）が分かるようになっている。お目当ての本があるならそのまま読んで情報の確認をすれば良い。

しかし、いつもいつもうまくいくとは限らない。当たりをつけていた本に欲しい情報が書いていなかったり、書いているが足りなかったり、新たな疑問が湧いて別の本を探す必要が出たりする。

では、どうしたらいいだろうか。ここで二つ目と三つ目のやり方が役に立つ。

二つ目は、「総記」のコーナーへ行くことだ。これは図書館学における本の分類の一つで、図書館学、辞典、事典、年間、新聞などを含んでいる。いわば「その他」のコーナーだが、各種の事典が揃っているのがクリエイターにとって非常に便利だ。

現代日本において、辞典（事典）を二冊以上持っている人はそれなりに珍しいのではないか。持っていても国語辞典を一冊というところであろう。一昔前ならステータスシンボルとして百科事典のセットを買い、リビングルームに並べるという習慣もあったが、今となっては家に置いている人も少ないはずだ。

だが、創作において辞典（事典）の類いは大いに役立つ。

・正確に言葉を使いこなすための国語辞典

各社が出しているが、小学館の『日本国語大辞典』は用例が充実していておすすめできる。

・言葉のバリエーションを増やすための類語辞典

とりあえず一冊は持っておきたい。加えて、フィルムアート社が刊行しているアンジェラ・アッカーマンとベッカ・パグリッシの類語辞典シリーズは、一般的な類語辞典とは少し違うが、感情や場面など創作に役立つテーマで統一された類語を多く紹介していて非常

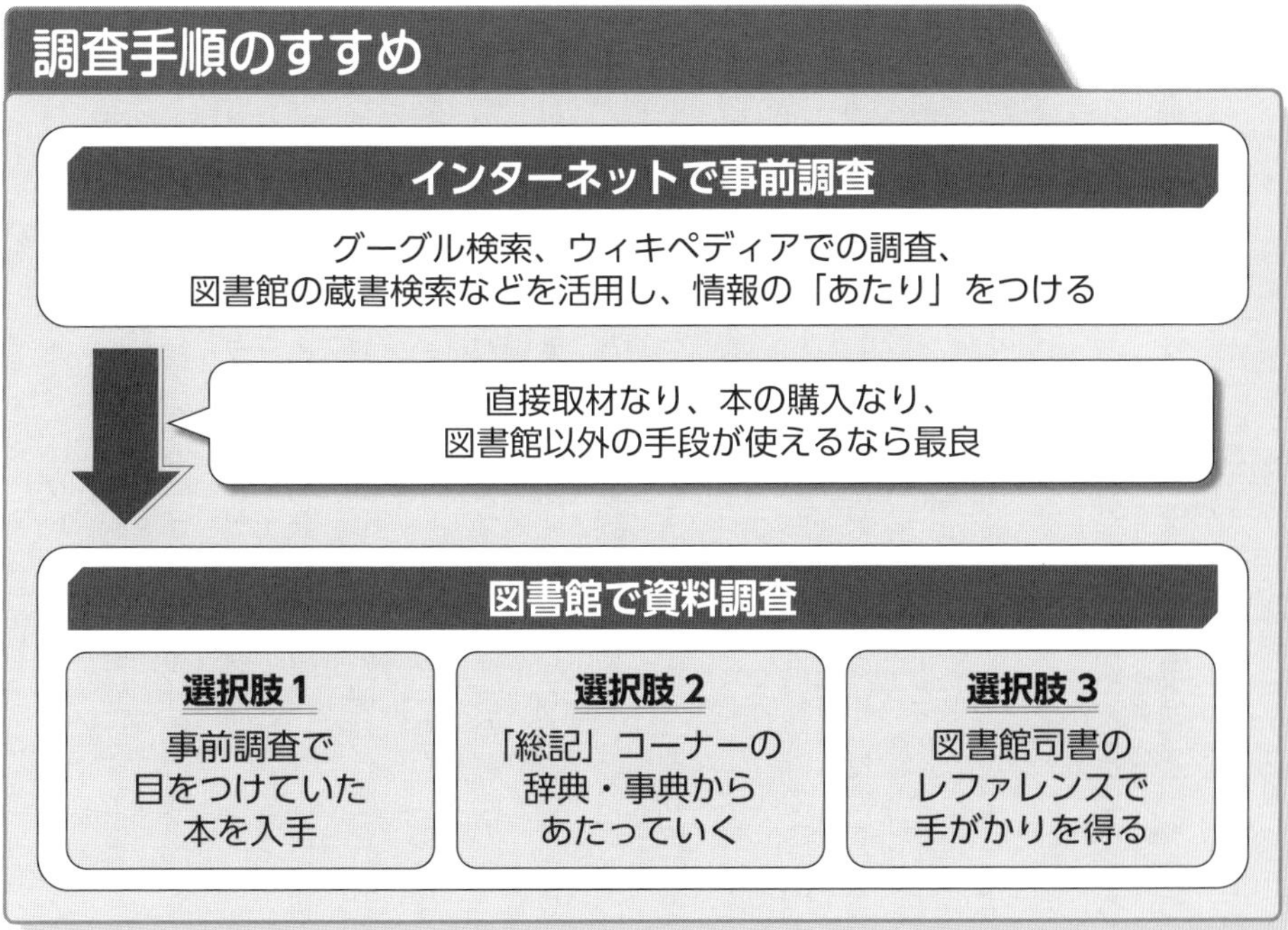
調査手順のすすめ
インターネットで事前調査
グーグル検索、ウィキペディアでの調査、
図書館の蔵書検索などを活用し、情報の「あたり」をつける
直接取材なり、本の購入なり、
図書館以外の手段が使えるなら最良
図書館で資料調査
選択肢 1
事前調査で
目をつけていた
本を入手
選択肢 2
「総記」コーナーの
辞典・事典から
あたっていく
選択肢 3
図書館司書の
レファレンスで
手がかりを得る

に実用的。

・物事の大づかみに便利な百科事典

何かについて調べる時、基礎的なことを確認するには百科事典が一番いい。事典の性質上詳しく書いてあることは少ないが、最初の一歩としてはむしろこのくらいの情報量が適切。

・専門分野について詳しく調べられる専門分野事典

各専門分野ごとにしばしば事典が存在する（事典と名前が付いているだけで総記コーナーにはない本もしばしばある）。

例えば日本史について調べるなら吉川弘文館の『国史大辞典』が大定番だし、新紀元社もファンタジックな要素を中心に事典的な本を数多く作っている。世界各地の事情が知りたかったら平凡社の『世界を知る事典』シリーズも役に立つ。幻想・歴史などの方面では海外の本格的な本を多く翻訳している原書房が事典・百科系統の本を刊行していて、便利だ。

これらの辞典（事典）を活用したい。

なお、普段使いを考えればデジタルソフト化あるいはオンラインデータベース化した辞典（事典）の購入も選択肢に入る。分厚い本をいちいち開かずともネット検索気分で調べられるのが最大の売りで、代表的なものとして「ジャパンナレッジ」がある。

これは国語辞典、百科事典、専門事典、さらに古典や叢書と非常に幅広く収録していて、便利だ。ただ問題として、月々の契約料がけっして安くない。プロ作家が使うならまだしも、アマチュア作家が趣味のために契約するにはちょっと重すぎるかもしれない。プロデビューを果たしてから選択肢に加えるといいだろう。

話を戻して、三つ目の手法を紹介する。それは図書館司書に相談することだ。

皆さんは図書館で司書の方々に自分が探している情報について質問したことがあるだろうか。具体的にお目当ての本が決まっていて、「この本どこにありますか」と聞くことならあるかもしれない。しかし、「こういうことが知りたい」とアドバイスを求めた経験のある人は少ないのではないか。恥ずかしいというのもあるだろうし、そもそも考えたこともないという人も多いのではないか。これがもったいない。

図書館司書は、利用者からのアドバイス要請に応えての対応——いわゆる「レファレンス」のスキルを持っている。そして当然ながら己の職場である図書館のことについてよく知っている。どの辺りにどんな本があるか、まずどんな辞典（事典）にあたれば効率的に調査できるか、知り尽くしているのだ。素人が頑張って独力で取り組むより、プロの力を借りたほうが早いに決まっているのだ。

また、図書館によってはメールによるレファレンスを受け付けているところがあったり、「レファレンス協同データベース」といってレファレンス結果を保存して閲覧できるようにしているオンラインサービスなどもあるので、活用してもらいたい。

また近年新たに現れた選択肢として、「国立国会図書館デジタルコレクション」の活用がある。これは国立国会図書館の蔵書の一部をインターネット経由で閲覧できるもので、登録すれば読める本が増える仕組みになっている。著作権の関係もあって閲覧できる本の多くは古いものだが、歴史や文化に興味がある人なら貴重な資料を手軽に閲覧できるため、価値が高い。

図書館と地域情報

少し脱線して、図書館のことをもう少し。

図書館は（少なくとも本来の理念においては）日本全国どこにでもあるような本を所蔵し、それを貸すだけの場所ではない、ということをご存知だろうか。その図書館がある地域についての情報、資料を集めるのも立派な仕事なのである。

実際、日本図書館協会が制作したガイドライン「公立図書館の任務と目標」の「第2章　市（区）町村立図書館」の「3　図書館資料」には次のような記述がある。

> それぞれの地域に関する資料や情報の収集・提供は，図書館が住民に対して負っている責務である。そのため図書館は，設置自治体の刊行物及びその地域に関連のある資料を網羅的に収集するほか，その地域にかかわりのある機関・団体等の刊行物の収集にも努める。また，その地方で刊行される一般の出版物についても収集に努める。

> 図書館が収集したそれぞれの地域に関する資料・情報については，より有効に活用できるよう，目録やデータベースの作成を行う。

あなたの家の近所にあるのが小さい図書館であったとしても、とりあえず出かけてみてほしい。必ず「地域情報コーナー」あるいはそれに類するものがあるはずだ。

そこにはあなたの住む地域の『●●県史』『●●町史』を始めとして、さまざまな地域資料が置かれている。ぜひ、読んでみてほしい。

・地元が持つ事情

発展する地域もあれば停滞する地域もあり、有名な企業や特産品がある地域もあればない地域もある。ゆるキャラが多すぎて渋滞している地域があれば、特にない地域もある（イラストだけ作ったけれど着ぐるみまでは予算が出なかった……なんて話も）。

そのような事情が発生する背景には、過去にあった出来事があるだろう。その地域はどうして今のように発展、あるいは停滞したのだろうか。土地の事情や交通の便によって順当に発展したり停滞したりした地域もあれば、天災や戦争のような強烈なアクシデントで事情が変わってしまったところもあるはずだ。

・地元に伝わる物語

地域ごとに面白い話は結構あるはずだ。

その地方のマイナーな戦国武将、戦国大名の話。地域独特の妖怪話、怪談話、オカルト話。埋蔵金の話が伝わっている地域もあるだろう。

そもそもその地名はどこから来たのか、そこにどんな意味があるのか、なんて話（災害が起こりやすい場所は名前そのものが警告になっているケースも多い。あるいは「有名な説はあるけど実はかなり眉唾だった」などという話があっさり本で見つかってびっくりということもあろう）などだ。

これらあなたのインスピレーションを刺激し、また前項で紹介した「特別さ」を提供してくれる重要なインプット情報になることであろう。「ふーん」で終わらせるのではなく、「どうしてそうなったのだろう」と考えることに意味があるのだ。

引用の意義と注意

最後に、入手した情報の扱いにおいて重要なことを一つ紹介する。

手に入れた知識・情報をもとに物語を作る際、たいていは「自分のオリジナルの世界設定やキャラクター、エピソードの参考にする」ことになるだろう。

ただ、現実の世界や歴史を舞台として使う場合には、調べたことを書く……ということも多々あるはずだ。

この時も普通は資料の内容を自分なりに噛み砕き、飲み込み、自分の文章に変えて書くことになる。そもそも物語に必要な情報と資料に書いてある文章はイコールではない（余分な内容を含んでいるから外す、あるいは事実を脚色したい）ことが多い上、資料の文章は著作権で保護されているからだ。

ただ、それでもなお「ここはあえて元資料の文章をそのまま使いたい」ということもあるはずである。雰囲気を出すために神話の一節や詩を載せたいとか、真

引用の注意

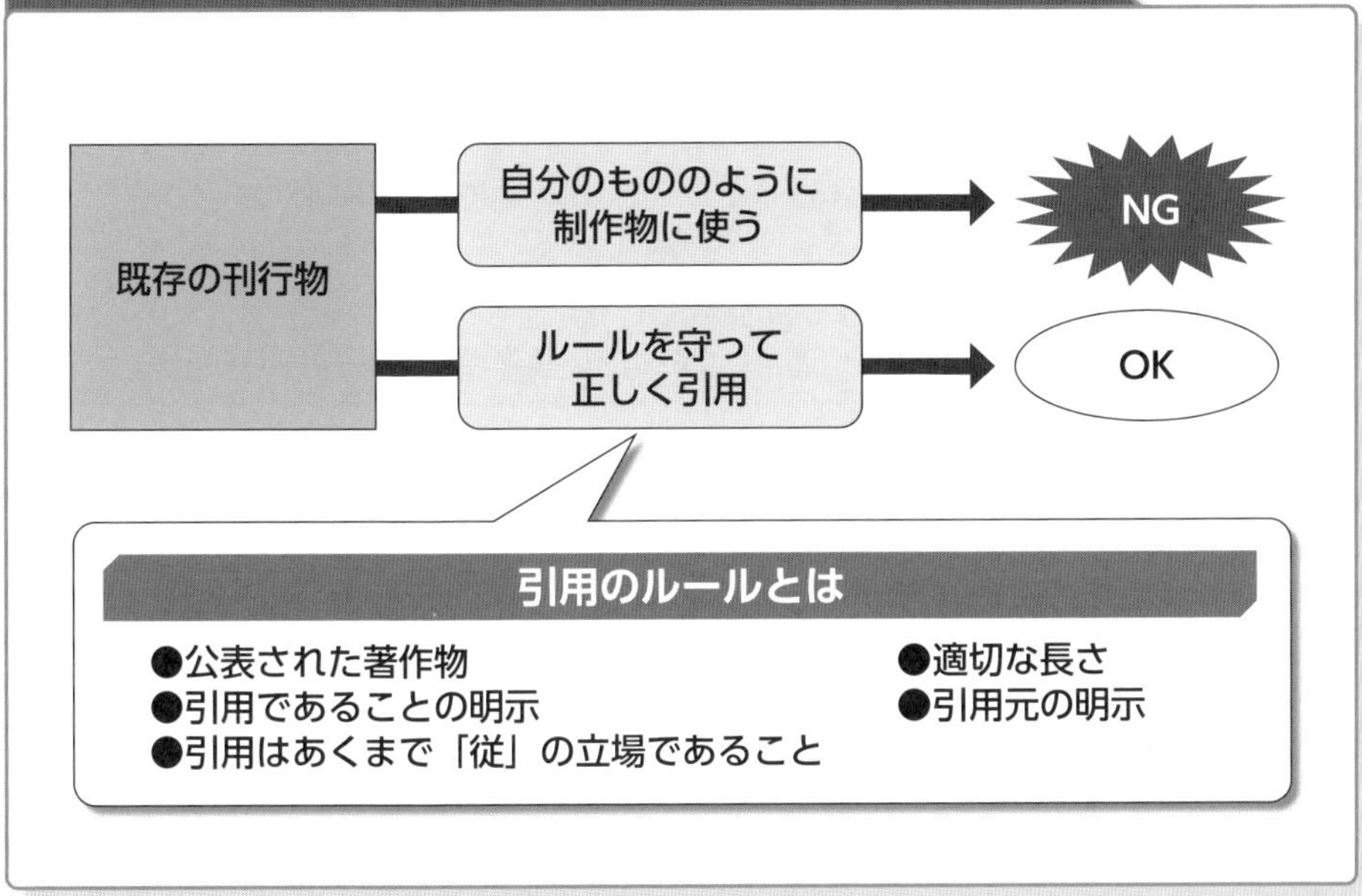
既存の刊行物
自分のもののように
制作物に使う
NG
ルールを守って
正しく引用
OK
引用のルールとは
●公表された著作物
●引用であることの明示
●引用はあくまで「従」の立場であること
●適切な長さ
●引用元の明示

実味を出すために新聞記事や役所による報告を載せたいとか、例えばそういうケースだ。

そんな時のため、著作権には例外規定がある。ルールに従って「引用」するなら、著作権法違反とみなされないのだ。

引用にはいくつかの条件がある。

- **公表された著作物であること（私的な手紙などは引用の範囲内ではない）**
- **適切な長さであること**
- **引用であると明示すること（自分のオリジナルの文章と混ぜてどこが引用か分からない状態はアウト）**
- **誰のどんな著作物からの引用か明示すること**
- **オリジナルの文章が主、引用文が従であること（引用文のほうがあからさまに長いなどはアウト）**

これらの条件を満たしていない場合、引用と見なされないことがあるので、注意。

ルールをしっかり守って適切に引用し、入手した情報を活用してほしい。

まとめ：インプットの重要性

既存作品から学ぶ

性質の違うさまざまな既存作品に普段から親しむ

↓

その中からこそ、
「オリジナリティ」も「パターン」も養われてゆくもの

普段からのインプット

体験・経験から得られるものがある

- 人から話を聞き、しっかり「人間観察」
- 旅行や美術館から刺激を受ける

など

体験・経験から得られるものがある

- インターネット
- ＴＶ
- 新聞 雑誌
- 書籍

↓

探したい情報があるなら……

↓

まずはインターネットで「あたりをつける」ところから！

↓

信憑性は低くとも最初はそれで十分

→

図書館他で書籍を調べるのが一番

↓

図書館のサービスもなるべく活用

Chapter 05

ワーク

発想力及びそこからつながるストーリー構成力はテクニックだけあればどうにかなる、というものではない。日頃から訓練を繰り返し、発想力を鍛えることが欠かせない。

ここでは10のワークを通して発想力を養うやり方を紹介する。

TOPIC

ワークの使い方

この項の意義

改めて。この章の目的は、皆さんが創作力を養うための練習として、あるいは実際に物語を作る手段としても使える「ワーク」十種を紹介することである。

実際に授業を行う際には進捗段階に合わせてあれこれと説明し、またアドバイスすることも可能なのだが、書籍という形ではそうもいかない。

そこでこの項では、ワークの章の冒頭としてふさわしく、具体的なワークの使い方を紹介したい。

まず前提として、ワークは回数をこなすことに意味がある。そこで、一日三十分でいいので毎日やることをおすすめする。

また、一人でやるのもいいが、グループでやるということも選択肢に入れてほしい。同じお題に対して他人がどんな発想、どんな解答をするのかを知ると、視野が広がるからだ。

ただ、グループで出したアイデアを個人作品に生かす場合は権利面が問題になることがある。きちんと相談し、私的利用にとどまらない作品（賞に送る、売る、ネット上に公開するなど）に使う場合は権利を整理するなどの作業が必要なので注意しよう。

どこから手をつければいいのだろうか？

最初に何をすればいいだろうか。

まず、各ワークの説明を読んでほしい。それぞれのワークにどんな意図があるのか、どんなポイントに気をつけてアイデアを練ってほしいのか、大事なことは大体そこに書いてある。

各ワークの最後には「どんな要素を埋めればいいのか」の提示もあるので、役立ててほしい。

次はシートをコピーしよう。

これに書き込む形でアイデアをまとめ、発想を整理するのは、本書で紹介する他のトレーニング法と変わらない。順番通りアイデアを書き込むだけでなく、思いついたところから埋めていくのでも構わない、というのも同じことだ。ただ見てもらえれば分かるのだが明確に違うところを一つ作らせてもらった。それは、ページ上部にメモ部分があることである。思いついたけど形を成していないこと、そのままでは物語になるかどうか分からないことは、とりあえずここに書き込む。書いて、文字にして、己の目で見ると、また別の発想が湧いてくるはずだ。それもまた書く。きれいに書く必要はない。不要だと思う情報は横線を引いて消し、追加が必要だと思ったら矢印で書き込む。

書き込む際のアドバイスを一点。物語の重要な部分の省略はなるべく避けよう。

物語をたくさん作ろうとすると、重要部分を「ひょんなことから」「いろいろあって」などという言葉でごまかしてしまいがちだ。しかしこれが癖になると、実際に作品を作ろうとした時、物語の大枠（大まかな部分）ばかりに気がいってしまい、具体的なエピソードで物語を考える力が衰えている、なんていうことがよくあるのだ。

といっても「どこが重要なのかよく分からないよ」という人もいるだろう。そこで、例えば次のような部分は横着せずに決めたほうが良い。

- **主人公とヒロイン（あるいはライバル）はなぜ、どんなふうに出会うのか？**
- **主人公はなぜ強敵に勝てるのか、なぜ真実にたどり着けるのか（なぜ困難な目的を達成できるのか）？**
- **主人公はどうして人々に助けてもらえるのか？**

「練習だからいいだろう」とばかりにこれらを省略してしまうと、実際に作品を作る際に苦労することになる。注意してほしい。

シートに書き込み終えたら

一通り書き終えたら、赤ペンを手にして、余計な情報は横線を引いて削除し、必要な情報を追加しよう。作ったまま放り出すのではなく、きちんとブラッシュアップしてこそ訓練になる。

その上でパソコンなどで清書してみよう。思いつくままに書きなぐったアイデアの塊は、よくよく見返してみると文章になっていない、情報が多すぎたり少なすぎたりする、というのがよくあるパターンだ。そこで改めてどんな要素が必要かそうでないか考え、あらすじの文章にまとめる。これにて一旦の完成ということになる。

完成しただけでは満足できない、できたものの良し悪しが知りたい、という人もいるだろう。しかしこれは少々難しい。あらすじや設定の良し悪しはプロなど経験のある人以外では判別しにくいからだ。友人や家族に見てもらっても適切な分析やアドバイスができず、むしろ誤った示唆をもらってしまう可能性が高い。

それでもいくらかの手がかりはある。

・**説明の通りに書けているか、ポイントを押さえられているか確認する**

・**方向性が適切かどうか、解答例と見比べて確認する**

と良い。その上で、ワーク作業は良し悪しで悩むよりは数をこなしてレベルアップを目指すことをおすすめする。

ワーク実例①

ここからは実際にワークをやってみた場合の例を見ていただく。

選んだのはワーク①、「起承転結」だ。説明文を読むと、物語を四つのブロックに分けた中でも「転」が重要なのだなと察しがつく。そのことを念頭に置いてお話を考えてみよう。

とは言っても、今のところ頭の中にはアイデアは何もない。取っ掛かり、きっかけがあればなんとでもなるのだが、それがないとどうにもならない、なんてことは多い。

こんな時、私の場合は普段なら書き溜めたアイデアメモをパラパラめくったり、本棚に並んでいる本のタイトルに目を通してその物語の内容を思い出すことでインスピレーションを得ようとしたり、音楽やＴＶ番組などを流して刺激を受けようとしたりする。

ただ今回はアイデアジェネレーターがある。このカードを引いて創作の取っ掛かりを得ることにしよ

ワークの使い方

大前提として

ワークは数をこなすことに意味がある。
発想力が磨かれる

⬇

1日30分でいいから、毎日やろう

1人でやってもいいが、
グループでもやってほしい

⬇

視野が広がり、思考が柔軟に

ワークの手順

ワークを選択し、アイデアを考える

●どのワークをやるか、何に興味を持つか
●説明や指示をしっかりと読む
●思いついたことはどんどんメモ部分に書く
●発想の取っ掛かりはアイデアジェネレーターで

⬇

アイデアをシートに書き込む

●順番通りでなくて良い。書けるところから書く
●きれいな文章で書こうとしないでいい
●大事な部分は省略しない
➡ 練習で省略癖をつけると、エピソードが考えられなくなる

⬇

成果物とどう向き合うか

●最後にパソコンであらすじの形にしてみよう
●良し悪しよりもまずは「数をこなす」こと
●説明を読み返して「ポイントを押さえられているか？」
●解答例と見比べて「方向性は適切か？」

う。

まずは一枚。全体のテーマを得られないか、と引いてみた。

・祝福／穏やかな光とファンファーレ

はて、これは主人公が祝福される話であろうか、それとも主人公が誰かを（あるいは世界を？）祝福する話であろうか。祝福されている主人公がどうにかなってしまう話、というのもありそうだ。

起承転結というお題を思えば、最初祝福されていて、それを失ってしまう展開のほうがどんでん返しを作りやすそうだ。

例えば、こういうのはどうだろうか。

起：
主人公は一国の王子だ。神々にも国民にも祝福され、恵まれたキャラクターである（ここでいう祝福は人望であり、また神から与えられた不思議なパワーのことでもある）。生まれは豊かで、友人にも恵まれ、将来は希望に満ちている。相応の使命も与えられているが、それを背負って行く覚悟もあるつもりだ。
承：
王子として使命を与えられ、旅に出る。相変わらず祝福されているのだが、友人たちの振る舞いや、あるいは祝福されざる民たちの苦しみを知るなど、不穏な展開への伏線も出てくる。
転：
主人公の祝福が奪い取られる。彼の姿、名前、立場が裏切り者（ずっと主人公を妬んでいた双子の兄弟）によって盗まれてしまう。主人公は孤独になり、打ちのめされる。
しかし祝福がなくなってもなお消えることのない持ち前の素質（素直さ）によって新しい仲間を集めて、王都に戻る。
結：
主人公、自分の祝福を奪い取った何者かと対決し、倒して、祝福を取り戻す。

どうだろうか。起承転結がしっかりして、なかなか面白そうな話になったのではないか。

そうそう、タイトルは毎回つけるようにしたい。作品全体のイメージをぼやかさずに、はっきりと言語化する訓練になるからだ。今回は「祝福の子」でどうだろう。

ワーク実例②

ここからはもう一パターンの実例を紹介することにしよう。アイデアジェネレーターのカードを「起」「承」「転」「結」の四枠についてそれぞれ引いた場合を見ていただきたい。

とりあえず何も考えずに引いてみたところ、次のようになった。

起：統率／衆の力は長がおればこそ
承：悲哀／心の氷、目には涙
転：喪失／手の内からこぼれていくものあり
結：情愛／炎のように焦がし、水のように癒やす

これはなかなかいいカードを引いた、と言ってよさそうだ。起承転結で一番大事な転に「喪失」が入るということは、主人公が何かを失うことでストーリーの展開がひっくり返る、ということだからだ。分かりやすい。

他のカードを見ていこう。起が「統率」ということは、集団に所属する何者かの話なのだろう。しかし承に「悲哀」が見えている。悲しい事情か真実を抱えた組織なのだ。そして最後に待っているのは「情熱」である。すなわち、氷の如き悲しみも、「虚無」の如き喪失も、解決してくれるのは情熱の炎であるわけだ。これなら十分に物語が作れそうだ。

サンプルとして物語を作ってはみたけれど、もちろんいつもいつもこんなふうに都合のいいカードが来てくれるとは限らない（なおこのカードは実際に本項の執筆者が引いている）。うまく話が作れなさそうだったら、引き直してもいいだろう。

また、こちらのパターンについては実際にシートに書き込んでみた。皆さんが実際にワークを行う際のサンプルにしてほしい。

ワーク入力見本

「統率」が出たから、集団を率いる人か、それとも率いられる人か

↓

「悲哀」が似合うのはやっぱりリーダーのほうじゃないかな

リーダーが悲しんで、
失うものはなんだろう。
リーダーを救う情熱はなんだろう

最近見たアフター
ホロコースト映画が
面白かった

思いつきをどんどん書いていく。
ここは雑でいい

転：
真実が明らかに。裏切りの発覚。
状況が逆転する。

集落内でクーデターが起きる。
主人公が右腕と信じていた人が、外敵と手を組んで、
主人公を追い落とそうとする。これまでのトラブルもその一環だった。
主人公はどうにか逃げ延びるが、
リーダーとしての立場は失ってしまう。反撃を狙う。

結末：
目的の達成。決戦。旅の終わり。
すべて終えて次の環境へ。

息子を含むかつて対立していた相手などと話し合い、味方に取り込む。
主人公がかつての強硬すぎた振る舞いを謝罪したこと、
息子が彼の理想を理解したこと、何よりも主人公の情熱が人々を動かす。
クーデター勢力を追い出し、今後も集落を守っていくと誓う。

ワーク①起承転結

タイトルは忘れずに

タイトル：

砂の華

迷ったらカードを

メモ：
テーマ、アイデア、
ジェネレーターで引いた
カードなどを記載

今回はカードを引いてやってみる

起：統率／衆の力は長がおればこそ
承：悲哀／心の氷、目には涙
転：喪失／手の内からこぼれていくものあり
結：情愛／炎のように焦がし、水のように癒やす

ヒントも参考に

起：
物語の始まり。出会い。
組織への加入。目覚め。

文明が滅んでしまった近未来。
過去の人々が残した遺跡に集まって暮らしている人々がいる。
主人公は集落のリーダーで、強いリーダーシップで人々をまとめていた。
最近は新しくやってきた人々ともとからの住民のトラブルが続き、
外敵にも脅かされていた。

このくらいきれいに書けるなら
書き直す必要はないが、
無理をせず思いつく限り書けば良い

承：
深まる。上がる。増える。
激化する。広がる。

「起」で提示されていたトラブルがどんどん加速していく。
ついに殺し合いの喧嘩が起きて、主人公はどうにかそれを止めるが犠牲も出る。
見せしめの意味もあって喧嘩の当事者を集落から追放することになるが、
その中には主人公にとって大事な息子（最近仲が悪かった）もいた。
身を切られる想い。

TOPIC

1：起承転結にアイデアを当てはめる

起承転結の真価はどんでん返しにあり

第一のワークは「起承転結」だ。非常に古典的なストーリーの枠組みなので、ご存知の人も多いだろう。

①起：物語が開始する
この物語はどんな物語で、誰が登場し、どんな場所が舞台で、今どうなっているのか？
②承：物語が展開する
起では語りきれない事情を明らかにし、キャラクターや物語の魅力を深めていく。
③転：物語が転換する
起と承で描かれていた状況や方向性がガラリと変わる。結末へ向かう準備。
④結：物語が決着する
転で変わった状況が決着する。真実が明らかになったり、決戦が行われたり、目的が達成されたり。

以上のように物語を四つのブロックに分けて考える手法だ。塊で考えるよりもブロックに分けて考えたほうが物語が理解しやすいので、よく使われてきた。

と言っても、昨今の創作において起承転結は必ずしも推奨されるやり方ではない。物語をきれいに四つに分けると前半が「起」「承」と盛り上がりの小さい展開が続き、エンタメとしての魅力に欠けるからだ。

それでも本書で第一のワークとして起承転結を上げるのには、当然理由がある。

一つは「物語を四つに分けるというのがシンプルで理解しやすい」から。前半が落ち着いてしまいやすい問題はきれいに四分割にするのではなく、「起＋承」と「転」と「結」に分けると考えることでカバー可能。

もう一つの理由は「起承転結なら『転』で必ずどんでん返しが入る」から。どんでん返しの重要性は既に紹介した通りだが、どうも物語を作ろう、作ろうと考える時にはクリエイターの頭から抜け落ちがちなのがこのどんでん返しである。

忘れられるなら強制的に入れるしかない――ということで、起承転結を身体に叩き込みたい。そこで、第一のワークとして起承転結を設定したわけだ。

また、起承転結は必ずしも物語全体のみに適用する考え方ではない。起承転結の各ブロック、あるいは一つ一つのシーンも、「起」「承」「転」「結」に分解できるし、そうすることで物語の細部にヤマとタニの盛り上がり、どんでん返しの面白さを入れ込むことができる。

・ワーク課題

次ページのシートに、物語を「起」「承」「転」「結」の四ブロックに分けて書き込む。

アイデアが思いつかなければ全体のテーマ、あるいは各ブロックのテーマを、アイデアジェネレーターのカードを引いて決定する（前者なら一枚、後者なら四枚引くことになる）。

物語は作品一つ分のものでもいいし、その中の一ブロック、一エピソードでも構わない。

解答例①

「王の友」

起：神々によって作られた主人公は、命令を受けて地上の王のもとを訪れる。二人は喧嘩してばかり

承：二人は次々起きる問題を解決する

転：神々の陰謀が明らかになる。主人公の役目は王を排除すること。しかし主人公は王の味方に

結：神々の世界と地上の間をつなぐ道を破壊する。神々に属する主人公は長い眠りにつく

解答例②

（青春ものの一シーンを想定）

起：友達と待ち合わせをしていて、連絡を受けてやってきたのが路地裏の怪しげな店の前

承：妙な音などしてきていよいよ怖くなり、入れない

転：店内から人が出てくる……と思ったら、後ろに人がいる。親切に声をかけてくるが主人公は驚く

結：パニックになっていたところで友達が店の中から出てくる。店の正体が明らかになる

転：
真実が明らかに。裏切りの発覚。
状況が逆転する。

結末：
目的の達成。決戦。旅の終わり。
すべて終えて次の環境へ。

ワーク①起承転結

タイトル：

メモ：
テーマ、アイデア、ジェネレーターで
引いたカードなどを記載

起：
物語の始まり。出会い。
組織への加入。目覚め。

承：
深まる。上がる。増える。
激化する。広がる。

TOPIC

2：ヒーローズジャーニーをなぞってみる

神話から見出された物語

「ヒーローズ・ジャーニー」は神話学者ジョーゼフ・キャンベルが神話の研究で見出した、物語における十二のアーキタイプ（雛形）と言うべきものだ。

神話や伝説、そして現代の物語の登場人物たちはしばしば異界へ旅立つ。重要なのはここでいう異界というのはまったくの異世界のこともあれば、「村の外」や「田舎」「都会」であったり、「部活」「生徒会」「アルバイト先」であったりもすることだ。未熟な若者であった彼らはそこで何かの成長を遂げ、実績を積み、やがて戻ってくる――これを「行きて帰りし物語」という。最も伝統的な物語のあり方とさえ言える。

ヒーローズ・ジャーニーの理論は、この行きて帰りし物語を分析するのに非常に分かりやすく、『スターウォーズ』を始めとして多くの有名作品で活用されてきたといわれている。

①平凡な日常：

日常描写。多くの場合、主人公はその環境に馴染めていない。彼は何か（周囲、伝統、自分の過去など）と対立していて、そのことにストレスを感じている。

②非日常への誘い：

日常から非日常へ飛び込むためのきっかけが現れる。

それは外部からの来訪者や襲撃であったり、自分がずっと抱えてきた願いや自己矛盾の表出であったりする。

③非日常の拒絶：

主人公は非日常に対して葛藤する。

日常を嫌っていたとしても、非日常には未知であるからこその恐怖や不安がどうしてもある。

必ずしも拒絶するのは主人公とは限らない（親や恋人が止める、など）。

④師との出会い：

主人公は葛藤を克服し、非日常へ移行する。多くの場合、師となる人物が現れ、技術や精神面などでサポートする。時には主人公が自身の内面と向き合い、勇気や知恵を見出すこともある。

⑤事件の発端：
非日常が本格的にやってくる。主人公がいよいよ旅立つのもかもしれないし、敵の大襲撃が始まるのかもしれない。

⑥試練、仲間、宿敵との出会い：
主人公は新しい世界で新しい経験を積む。物語としても、主人公としても、世界が広がっていく。

⑦危険な場所に近づく：
最大のチャレンジに向けての準備が整い、いよいよその目前に迫る。古典的には「深い洞穴へたどり着く」と表現する。RPGなら「ラストダンジョンにたどり着き、奥深くへ向かっていく」というところか。

⑧最大のチャレンジ：
物語の中で最も危険な試練に立ち向かい、これを克服する。多くは敵との戦いであり、死の恐怖にさらされることだが、大事なものを失う、アイデンティティを喪失する、なども試練に相当する。

⑨報酬：
チャレンジを成功させ、報酬（結果）を得る。それは形ある宝かもしれないし、目的の達成かもしれないし、恋の成就かもしれない。

⑩帰路：
主人公は非日常の世界での冒険を終え、日常に戻っていく。だが、この帰還は無事に済むとは限らない。新たな脅威が追いかけてきての対立や逃走になるかもしれない。「崩壊する迷宮と脱出」というのもある。

⑪復活：
主人公は再生し、進化する。これは帰路の試練において死（あるいは仮死）を迎え、しかし復活するということかもしれない。あるいは、そもそも非日常の世界から帰還するということそのものが復活なのかもしれない（冥界での冒険）。

⑫帰還する：

主人公は日常への完全な帰還を果たす。それは目的を達成しての故郷への凱旋かもしれないし、新たな旅への出発や、第二の故郷を見出したということなのかもしれない。

以上がヒーローズ・ジャーニーの十二ステップだ。

面白いのは、このパターンには「帰り道」がしっかりある、ということだ。「あちら側の世界」においてクライマックスで怪物を倒して終わりではなく、そこからどのようにして「こちら側の世界」へ戻ってくるかまでが物語に組み込まれている。これは現代的な物語に慣れている人にとっては新鮮なスタイルだろう。

この形はさまざまな物語に見出すことができる。例えば、J・R・R・トールキン『指輪物語』が分かりやすい。そこで、物語の各段階にヒーローズ・ジャーニーの番号を振ってみた。

フロドはホビットの青年で、ホビットの集落に住んでいる（①）。彼は養父から「一つの指輪」を預けられていたが、実はこれが危険な存在で、指輪を破壊するための旅に出なければならないと知る（②）。

フロドは最初恐怖し、拒絶するが（③）、魔法使いガンダルフの言葉を受け（④）、旅に出る。旅の中では驚異的な敵に襲われ、命の危険もあるが（⑤）、各種族の仲間たちと出会い、改めて指輪を破壊できる火山への旅を続けることになる（⑥）。

旅は続き、一行はいくつかのグループに分かれるが、フロドたちはついに火山にたどり着く（⑦）。土壇場で彼は指輪の力に誘惑され、自分のものにしようと考えるも、アクシデントによって指輪は破壊される（⑧）。使命を果たしたフロドたち（⑨）はホビットの集落に戻るが、そこは外敵・内紛によって内戦状態だった（⑩）。フロドは剣を抜くことなくこの事態を収め（⑪）、旅は終わりそれぞれの結末が描かれる（⑫）。

・ワーク課題

次ページのシートに、物語を十二のブロックに分けて書き込む。アイデアジェネレーターのカードを引くなら、「旅立つ理由」「妨害する敵対者」「助けてくれる助言者」のヒントとして引くと良い。

ヒーローズ・ジャーニー

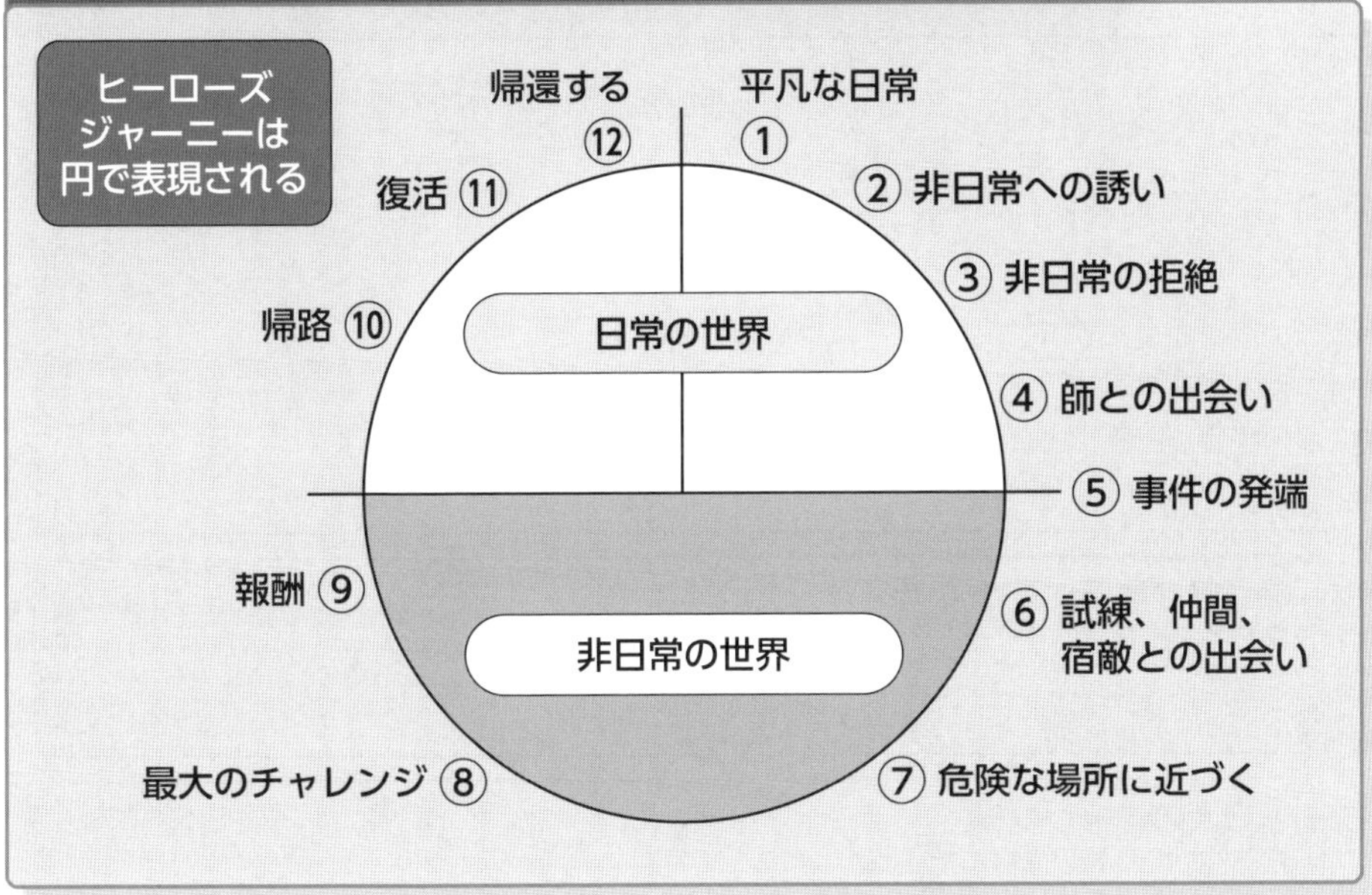

ヒーローズジャーニーは円で表現される
帰還する ⑫
平凡な日常 ①
復活 ⑪
② 非日常への誘い
③ 非日常の拒絶
帰路 ⑩
日常の世界
④ 師との出会い
⑤ 事件の発端
報酬 ⑨
⑥ 試練、仲間、宿敵との出会い
非日常の世界
最大のチャレンジ ⑧
⑦ 危険な場所に近づく

解答例

細工職人の家に生まれた主人公は身につけた技でとりあえず仕事しつつも、親に甘やかされてダラダラ暮らしていた（①）。そんなある日、家業が実は昔から業績不振で、ついに廃業することを知らされる（②）。突然のことに大いにうろたえるが（③）、姉に己のだらしなさを指摘されて反省する（④）。

家族と離れ離れになり、自活のため己の技を生かした仕事を探すが見つからない。仕方なくコンビニバイトを始め（⑤）、そこで分かり合える友人や尊敬できる人物、ヒロインとも出会う（⑥）。

バイト生活に中途半端に安住してしまいそうになるが、バイトを見下したような言動から仲間の一人と対立（⑦）。しかし仲間たちの助けで謝罪し、和解する（⑧）。この事件がきっかけで、ヒロインとともに若者向けアクセサリー商売を始めることになる（⑨）。

新事業の日々は忙しくも充実していて（⑩）、主人公は頼られる立派な職人になり（⑪）、家族を呼び寄せることにも成功する（⑫）。

⑦危険な場所に近づく：
クライマックスはすぐそこ

⑧最大のチャレンジ：
立ちはだかるものはなんだろうか

⑨報酬：
試練には報いがあってしかるべき

⑩帰路：
無事に帰れるだろうか？

⑪復活：
よみがえりがここになされる

⑫帰還する：
家に帰るのか、また旅立つのか

ワーク②ヒーローズ・ジャーニー

タイトル：

メモ：
テーマ、アイデア、ジェネレーターで
引いたカードなどを記載

①平凡な日常：
まだ物語は始まっていない

②非日常への誘い：
きっかけがやってくる

③非日常の拒絶：
冒険に出る前にためらいがある

④師との出会い：
葛藤を克服させる導き手との出会い

⑤事件の発端：
始まりを告げるのはいったい何か

⑥試練、仲間、宿敵との出会い：
新しい世界での冒険

TOPIC

3：「何かが違う現実」を作ってみる

社会の変化は物語になる

私たちが生きるこの現代日本、現実の社会。これがちょっとだけ（あるいは大きく）違ったら、それはどんな世界だろうか。

これは発想の訓練（つまりワーク）として非常に分かりやすい。何しろ、私たちが今この瞬間生きていて、よく知っている「世界」なのだから、アイデアも思いつきやすいし、情報も調べる気になれば簡単に手に入るからだ。

とはいえ、取っ掛かりがなかったら難しいかもしれない。おすすめは「技術」と「社会問題」だ。現代社会の技術革新と社会問題の進行（一部解決）は目覚ましく、世の中は恐ろしい速度で変化している。それは私達自身がよく知っているはずだ。一例として、携帯電話が普及する前と普及した後では私たちの生活はぜんぜん違う。仕事のやり方も変わったし、待ち合わせ方も違う（昔は駅前の掲示板で連絡を取ったのだ！）。

社会問題のほうは例えば急激な高齢化であったり、都市部なら外国人が当たり前に住んでいるようになったことが分かりやすいだろうか。これら自体は必ずしも問題ではないが、派生していくつもの問題や対立が起きている。

「一部解決」と書いた通り、さまざまな社会問題は必ずしも悪くなる一方ではない。かつて日本が苦しんだ公害問題は少なからず解決し、汚れていた川が驚くほどきれいになったりしているわけだ。

これらの技術や社会問題が急激に進んだり、あるいは突然何かの出来事で解決したりしたら、世の中はどうなるだろうか？　もしくは、それまでなかった技術や社会問題が突然現れたらどうなるだろうか？

技術革新はいいことばかりとは限らない。「携帯電話が普及したせいで休日でも上司に呼び出される」「ITが発達して作業効率は上がったが、それは人間が待機する時間がなくなったということでもあり、疲労は増している」ともいう。社会問題が悪化すればもっと悪いことが起きるのは言うまでもないが、解決したとしても「実は別の問題に派生した」なんてことも十分にあり得るし、その問題で苦しんだ人々の恨みが消えるわけでもない。

それらを想像し、「こんな状況だったらどんな物語が作れるだろうか?」と考えてほしいのだ。

ちなみに、技術や社会問題以外だと「法律」もおすすめだ。古今東西には変わった法律がいろいろある。ゴミのポイ捨てを禁止しているシンガポール、ビールの原料を厳密に定めているドイツなどが有名だ。アメリカは州ごとに法律が定められるので面白い法がたくさんある。それら(あるいは似たような法律)が現代日本に適用されたら、どうなるだろうか?

・ワーク課題

次ページのシートに、社会の変化と、そこから生まれる物語を書き込む。アイデアジェネレーターのカードからは変化が連想できる。

解答例①

社会の変化:

クリーンな新エネルギーの発明

そこから生まれる物語:

新エネルギーが普及した後、人間を怪物化させる副作用があることが判明する。主人公はその弱点を克服した新・新エネルギーを活用した武器を用いて怪物たちを倒すが、新・新エネルギーは希少なため、人類は新エネルギーを使い続けるしかない……

解答例②

社会の変化:

高齢化が一度進みきってしまう

そこから生まれる物語:

老人たちが皆寿命でいなくなった後、日本の人口は半分になってしまい、経済的にも貧しくなったが、代わりに平均年齢がぐっと若くなった。ある者は都市に密集し、ある者は廃墟になった地方で、それぞれシビアながらも意外と楽しく暮らしている。

物語：
社会変化で起きる事件、
追い詰められる人、希望を見出す

ワーク③何かが違う現実

タイトル：

メモ：
テーマ、アイデア、ジェネレーターで
引いたカードなどを記載

現実：
今、この社会はどうなっているか。
技術、問題、ルールなど

変化：
何が新しく加わり、何がなくなり、
何が変化するのか

TOPIC

4：究極のライバル関係を考える

ライバル関係はどういう時に成立するのか

このワークではあなたの主人公の前に立ちふさがり、物語を盛り上げる、「究極のライバル」について考える。さて、究極のライバルとはなんだろうか。

ただただ一番強い敵？　実はそれは「乗り越えるべき障害としての高さ」がドラマ性を盛り上げることはあっても、ライバルとしてのすごさにはあまり関係がないことが多い。

「強い」「倒す（障害として取り除く）のが難しい」だけではライバルとはいえない。登山をする時、高い山のことを障害とは思っても、ライバルとはあまり思わないはずだ。

物語を盛り上げる究極のライバルに欲しいのは、まず「違う」こと。そして「似ている」ことだ（実はこれは逆の順番でもいいが、違う→似ているの順のほうがキャラクターとして分かりやすいし、作りやすい）、「違う」とは何か。いろいろなパターンがあるが、分かりやすいのは「立場やポリシーが違う」だ。

・国に仕える騎士と反乱軍の勇士
・勘重視のベテラン刑事とデータ第一のエリート刑事

例えばこのあたりが分かりやすいだろうか。彼らの立場やポリシーが正反対であればあるほど、ライバル関係は盛り上がる。なるべく対比した関係を作ろう。

他にどんなものが「違う」か。ポリシーとも重なってくるが、「能力」の違いもライバル関係の定番だ。ただこの時注意すべきは、「同じ土俵で競えないとライバルにはなりにくい」ということである。

例えば、貧乏だが優れた才能を持った個人と、大金持ち。この二人は能力が正反対だが、ではライバルとして話を盛り上げられるか？　そのままでは二人が対面して争う機会が作りにくく、ライバル関係にはなりにくい。ただ、この二人が同じスポーツやゲームをやっていたら、どうだろうか。あるいは、一人の女性を取り合ったら。これは立派に「同じ土俵」だ。ライバル関係になり得る。

ただ、「違う」だけではただの敵や障害になってしまいがち。ライバルとして盛り上げるには「同じ」が欲しい。

何が同じなのか。よくあるパターンは、立場が正反対なのにポリシーが一緒だったり、ポリシーは違うのに目的は一緒だったりするケースだ。

同じだけれど違う、違うけれど同じ。だからこそ互いに理解できるし、しかし絶対に分かり合えないところもある。このような関係性があるから極限まで対立できるし、時に協力したり、最後に和解したり、決別したり……というドラマも盛り上がるのだ。

・ワーク課題

次ページのシートに、主人公とライバル、そして二人の関係を書き込む。

アイデアジェネレーターのカードを引くなら、「二人はどこが違うのか」「どこが同じなのか」「どんな関係なのか」を引いて決めると良い。

解答例①

主人公：一匹狼の不良。学校の厳しい締め付けに反発する

ライバル：生真面目な風紀委員長。学校の運営に問題を感じてはいる

同じところ：「自分の信じたルール（信念）に準じる」ところ

違うところ：不良は学校に逆らい、委員長は従う

二人の関係：学校のルールをめぐり対立

解答例②

主人公：特別な能力を持ち、普通人の顔とヒーローの顔を持っている

ライバル：同じ能力を持った職業ヒーロー

同じところ：悪の組織と戦っている

違うところ：主人公は人々の安全第一だが、ライバルは時に強引

二人の関係：別組織に所属するヒーロー同士。協力もするが競争関係でもある

同じところ：
立場、ポリシー、能力。
似ているからこそ分かり合う

違うところ：
立場、ポリシー、能力。
違うからこそ反発する

2人の関係：
敵か味方かそれ以外か。
どの関係でもライバルになれる

ワーク④ライバル

タイトル：

メモ：
テーマ、アイデア、ジェネレーターで
引いたカードなどを記載

主人公：

名前：

ライバル：

名前：

TOPIC

5：一番盛り上がる三角関係の組み合わせは？

閉じない関係の面白さ

キャラクターの魅力は関係性によって発揮されることが多い。個人の魅力と思われるものも、実はその少なくない部分が他のキャラクターとの関わりや対比によって引き出されるところがある。正義のヒーローは守るべきものや戦うべき悪があってこそ輝く――といえば分かりやすいだろうか。

このような関係性の典型的なパターンが「三角関係」である。関係性が一対一で閉じておらず、三者の関係で三角形を描くケースである。

三角関係の定番として、恋愛ものなどで二人の男が一人の女を取り合う、あるいは二人の女が一人の男を取り合う、という形がよく見られてきた。ただ、ＬＧＢＴへの注目が集まりつつある昨今ではこの図式はより複雑化するであろうし、いわゆる「恋愛」ではない別の形の「愛」や「情」が絡んだ形の三角関係を作ることもできるかもしれない。

三角関係の最大の面白さは先にも紹介した通り「関係が閉じていない」ということだ。一対一の人間関係はいろいろなイベントを盛り込もうとしても、やがてネタ切れ、というか「化学反応を一通り起こしきって落ち着いてしまう」ことになりがちだ。その結果は決裂か距離が離れるか穏やかな関係になるかで、どれにしても物語としてはそこから面白くなりにくい。

しかし三角関係であればＡとＢの関係が落ち着きつつあるならＣを投入してさらに刺激、ということができる。関係が閉じずに新たな化学反応の誘発を起こせる。恋愛もので、主人公とヒロインがひとしきり対立し分かり合って関係が深まったところで恋敵登場――という形をしばしば見るのはこのためだ。

そのため、三角関係を魅力的に描こうと思ったら、キャラクター性の組み合わせ方に工夫が必要だ。「ＡはＢに対してもＣに対してもまったく公平だ」では（人間として尊敬できるかもしれないが）三角関係としては盛り上がりにくい。AがBに見せる顔とCに見せる顔はちょっと違う、しかしBがAに見せる顔とCに見せる顔も……くらいのほうが盛り上がるのだ。また実際これは人間関係ではよくあることであろう。

例えば、恋人が異性の幼馴染に対して（自分に見せるのとはまたちょっと違う）くつろいだ笑顔を見せればそれは嫉妬心も湧くであろう、というわけだ。

ここまでは恋愛ものの三角関係の話ばかりをしたが、もちろん他にもいろいろな関係があり得る。職場、友人関係、ご近所、そして家族。例えば「父、母、子」の三角関係などはこじれるパターンの大定番である。

・ワーク課題

次ページのシートに、三人のキャラクターと、それぞれの事情、一対一の関係性、そして三人まとめての関係性を書き込む。特にそれぞれの事情が関係性にどう影響を与えるかを考えよう。

アイデアジェネレーターでは三人のキャラクターの事情を決めると良いが、関係性を着想しても良い。

解答例①

キャラクターA：主人公
キャラクターB：幼馴染
キャラクターC：転校生
三人の関係：
主人公は困っている人を放っておけないタイプで、孤立していた転校生を助けて関係が深まる。かつて同じように主人公に助けてもらった幼馴染は独占欲と嫉妬心から、ひそかに転校生に辛く当たる

解答例②

キャラクターA：父
キャラクターB：母
キャラクターC：息子
三人の関係：
息子の目から見ると、父は母を虐待しているように見える。父と母の間には無言の理解があるが客観的にはDVと言わざるを得ない。父、母、それぞれの息子への愛は本物だが、それゆえに息子は苦しむ

関係：

キャラクターC：

名前：

関係：

3人の関係：

ワーク⑤三角関係

タイトル：

メモ：
テーマ、アイデア、ジェネレーターで
引いたカードなどを記載

キャラクターA：

名前：

関係：

キャラクターB：

名前：

TOPIC

6：「争奪戦もの」で群像劇の練習をする

群像劇の難しさ

スケールの大きなお話を書きたい人に人気のある物語パターンに、群像劇がある。

群像劇には主人公がいない。複数のキャラクターが主人公格として存在し、彼らはそれぞれの事情、動機、目的に従って行動する。彼らの物語が複雑に絡み合って一つの大きな物語を構築する……というわけだ。自然、物語は複雑に、そして奥深くなる。

ただ、群像劇は非常に難しい物語パターンでもある。主人公の行動だけをメインの流れとして追いかけていけばいい普通のお話と違い、流れがいくつもあるため、その管理と制御は当然難しくなる。

今全体がどういう状況になっているのか、それぞれの目的にどのくらい近づいているのか、各状況でキャラクターたちはどのように判断するのか、と考えていくのは簡単ではない。

そのため群像劇は物語づくりの初心者にはおすすめしないし、ワークの中でも中盤に配置した。

それでも群像劇がやりたいという人には、「争奪戦もの」のストーリー構築から挑戦することをおすすめする。

どういうことか。

つまり、一つのアイテム（あるいは人物、情報など）を複数のキャラクターで取り合う、という形にするわけだ。こうすることで、各キャラクターとはまた別の主軸として「アイテムがどうなるか」というストーリーが出現し、キャラクターたちの物語はこれに関わることで作品に登場することになる。いわば「キャラクターではなくアイテム（をめぐる事件）」こそが作品全体の主人公になるわけだ。結果、全体のストーリーがぐっと管理しやすくなる。

群像劇ものでは各主役級キャラクターの動機が重要だ。「どうしてこの事件に関わってくるのか」がはっきりしないと、物語の中での行動に説得力がなくなってしまうからだ。

また、争奪戦ものでなくとも、群像劇は書きたいが難しいという人には、「主人公を一人置いた上で、他のキャラクターたちの比重も増やす」ことをおすすめする。これも全体が管理しやすくなるテクニックである。

また、意外と忘れられがちなのだが、群像劇は「そもそもそこはどんな状況か」も重要だ。平和な場所なのか危険な場所なのか、争奪にタイムリミットがあるのかないのか……それらのシチュエーションは各キャラクターの行動を大きく左右する。

・ワーク課題

次ページのシートに、「争奪されるターゲット」「舞台になるシチュエーション」「争奪戦に参加する人々」を書き込む。

アイデアジェネレーターのカードではターゲットや参加者について引くのが基本だが、シチュエーションも重要なことを忘れずに。

解答例①

ターゲット：ある企業の貴重な実験データ
舞台：治安の悪いスラム街。データを持ち逃げした男がそこで死んだ
参加者たち：
スラム街の住人や、データを回収したい企業や奪い取りたいライバル企業のエージェントたち。メイン主人公は住人でヒロインとともに奪い取るために動く。ヒロインは実験と関係があるという秘密を持つ

解答例②

ターゲット：学園で一番人気の美少女。彼女と恋仲になると願いが叶うという
舞台：一万人が通う巨大学園
参加者たち：
学園の生徒たち。巨大学園だけに委員会や部活が利権団体になっていて、その利益やメンツにかけて美少女を得ようとしている。その中にたった一人、個人で挑むのがメイン主人公

参加者：
動機は大まかに共通しつつも、
しかし微妙にずれるはずだ

ワーク⑥群像劇

タイトル：

メモ：
テーマ、アイデア、ジェネレーターで
引いたカードなどを記載

ターゲット：
稀少なのか。高価なのか。
重要なのか。哀れなのか

状況、舞台：
争いの有様に舞台は
大きな影響を与える

TOPIC

7：ハーレムの「芯」と取り合わせの妙

ハーレムにポイントあり

一般に、一人の男性キャラクター（主人公）の周囲を複数の女性キャラクターが取り巻き、好意を示すタイプの物語を「ハーレムもの」という。中心にいるのが女性なら「逆ハーレム」だ。

ハーレムものは群像劇のバリエーション的なところがあって、キャラクターの数が自然と増えるせいで物語としてのボリュームが増えがち。結果、クリエイターが物語をコントロールできず散漫になる、ということがしばしばあるようだ。そこで、きちんと「芯」を作る必要がある。

ハーレムものの「芯」とは何か。これはいくつかの選択肢がある。

定番は「ヒロインたちが主人公に執着する理由に着目する」ことだ。

複数のヒロインたちは、どうして主人公の近くにいて、彼に好意を示すのだろうか。「格好良いから」「優しいから」などでも別に問題はないといえばないのだが、これをドラマチックなものにすることによってヒロインたちの行動に説得力が生まれ、物語そのものにも勢いが出る。

例えば、こんなのはどうだろう。

・主人公は敵に命を狙われており、ヒロインたちは護衛役
・主人公の遺伝子が重要で、ヒロインたちの目的
・ヒロインたちは筋金入りの守銭奴で主人公の財産を狙っている

これらの理由は自然とヒロインたちの行動に強い動機を生み、物語を動かしていく。散漫になる余裕がなくなるわけだが、逆に言うと「みんなが同じ理由でついてくる」ではせっかくの群像的物語の意味がない。それぞれの動機にある程度のグラデーションがつけられるといい。

もっとダイナミックなやり方は、「メインヒロインを決めてしまう」ことだ。複数のヒロインのなかから一人あるいは二人のヒロインを特別の位置に置き、他はあくまでサブヒロインとする。物語は主人公とメインヒロインの関係性や、それぞれの目的や思惑を本筋として追いかけていく。ハーレムものにおける群像劇的面白さは損なわれるが、「いいところどり」と見ることもできよう。

ハーレムは恋愛もの三角関係の拡大版と見ることもできるため、キャラクターの取り合わせも重要だ。属性やポリシーをバラけさせてバランス良く構成するのが定番手法だが、あえて「共通する何かの特徴をもたせる」手もあるだろう。

・ワーク課題

次ページのシートに、主人公、ハーレムの構成員たち（人数は自由）、構成員たちの動機、そこから生まれる物語や構成員の変化を書き込む。

アイデアジェネレーターでは動機や変化のきっかけをつかむのがおすすめ。

解答例①

主人公：聖地巡礼の旅に出た少年

構成員たち：道連れになった旅の仲間たち

動機：

聖地に行く（しかし実はそれぞれ別の理由があるため、真に巡礼をしているのは少年だけ）

物語：

旅の中でそれぞれの理由が明らかになるが、聖地へ行く旅が都合がいいのは変わらないので旅は続く

解答例②

主人公：若くして会社社長になった少女

構成員たち：その部下たち

動機：

あくまで仕事で仕えている、あるいは少女に気に入られて出世するなど利用するため

物語：

やがて構成員たちは少女と関係を深め、心から支えたいと思うようになる

ハーレムの構成員たち：

動機：
どうして彼ら彼女らは
ハーレムを作ったのか？

ワーク⑦ハーレム

タイトル：

メモ：
テーマ、アイデア、ジェネレーターで
引いたカードなどを記載

主人公：

名前：

変化と物語：
彼らが出会って何が起きる、
何が変わる？

TOPIC

8：短編連作の流れを作る

短い話から大きく育てる

短編連作。短い話（短編）を、キャラクターや世界設定などを連続させつつ、一つながりの話として続けるスタイルだ。本書では特に初心者にしばしばこのスタイルでの創作をおすすめしたい。ワークの一つとして紹介しているのもそのためだ。

なぜ短編連作をおすすめするのか。それは、

- **長い話（ボリュームのある話）を作れそうにない**
- **しかしスケールの大きな話を作りたい**

という矛盾した二つの事情を共存させられる手段であるからだ。

媒体にもよるが、創作という作業は基本的に簡単なことではない。特にボリュームのある物語を作ろうとすると大変だ。しかし、私たちが普段親しんでいるものは大ボリュームのものが多い（週刊少年誌の連載や、人気ライトノベル、あるいはＲＰＧなど）のだから、そちらに憧れるのは当然である。

そこで、「まず短編から作ってみよう」ということになる。あなたの頭の中にあるキャラクター、世界設定、そしてストーリーの中から一つ引っ張り出してきて、短編を作る。それが完成したら、「続き」を作る。これもやっぱり媒体によるが、三作から四作も短編的な物語を作れば、まとめて一つ、短編連作ながらも総じて長編と名乗っていいくらいのボリュームになっているのではないか、というわけだ。

もちろん、完成度を求めるのであれば、漫然と短編を書き連ねるわけにはいかない。いろいろとコツが必要になる。

例えば、三～四作の連作なら「起承転結」のフォーマットにするのが定番だ。二作目あるいは三作目は、その前の回とは違う流れ、違う雰囲気にするのであ

る。依頼を受けて事件に挑んでいた探偵が襲撃を受けたり、それまで秘密だった主人公の旅の理由が明らかになったり、という具合である。

また、「一段落」にはどんなエピソードが適切かと見定めることも重要だ。主人公が明確な目的や目標を持っているタイプならそれを達成させるのか。それとも、非常に強力な敵、強大な障害を乗り越えることによって一段落したという印象を与えるのか。なんらかの秘密や真相を明らかにするというのもアリだろう。

大事なのは、まず一作目のあらすじを作ることで、「自分はこの物語をどういう雰囲気にしたいのか」を考えることだ。作ることで見えてくるものがあるのだ。

・**ワーク課題**

次ページのシートに、「最初の一作」のあらすじや設定、物語の中で出したい要素、そこから考えられる二作目以降の展開、「一段落」の内容を書き込む。

迷ったらアイデアジェネレーターで何枚かカードを引き、それをヒントに「自分はどういう話にしたいのか」を考えよう。

解答例①

最初の一作：
冒険者グループがダンジョンに潜ってお宝を得る

そこからの展開：
あちこちのダンジョンに潜りつつ、それぞれの事情が明らかになる

一段落：
ダンジョンが崩れて出られなくなる大事件が起きて、ピンチの中でメンバーの一人の目的が達成される

解答例②

最初の一作：
呪いによって定住できない主人公が旅の中で困った人を助ける

そこからの展開：
同じような呪いを背負ったライバルが登場する

一段落：
呪いを解く方法を手に入れるがライバルのために使ってしまい、再び旅へ

２作目以降の展開：
主人公の冒険は、彼らの旅は、
どこへゆくのか

「一段落」：
物語には一旦であっても
終わりがあるべき

ワーク⑧短編連作

タイトル：

メモ：
テーマ、アイデア、ジェネレーターで
引いたカードなどを記載

最初の１作目：
自分のイメージ、
活躍させたいキャラクター

物語に出したい要素：
１作目に出したいもの、
出せなかったもの

TOPIC

9：「リベンジ」の物語

復讐は何が面白いのか

物語のパターンも多種多様にあるが、その中でも「復讐」「リベンジ」ほど古今東西問わず人気のあるものはない。

古くは神話の中で数々の英雄たちが復讐を遂げているし、歴史上の人物たちでも家族の仇を討ったものたちは人気がある。今のエンタメでも、失われたものを取り戻そうとするもの、あるいは取り戻せないまでもせめて相手に自分の受けた以上の傷を与えてやろうとするリベンジャーの物語をさまざま見出すことができるのだ。

なお、近年アメコミ原作映画で話題になった「アベンジャーズ」の「アベンジ」は私的復讐の「リベンジ」に対して公的な応報、悪に対する報いの意味合いが強く、言葉として意味が違う。このあたりのニュアンスの違いを押さえておくと面白い。

このワークでは、強い目的を持つ主人公の物語の典型として、リベンジの物語を作ることでの練習を想定している。

リベンジもの、復讐もののいいところは、まず「やられたからやり返す」というのが多くの受け手にとって納得しやすい目的であることだ。56～63ページで挙げたキャラクターの動機リストを見てほしいのだが、その中のどれについてもある人は「納得できる」といい、ある人は「納得できない」というだろう。そのくらい現代の価値観は多様なのだが、それでも「やり返したい」というキャラクターには納得あるいは容認する人が多いはず。それどころか、ちょっとくらいやりすぎたとしても、そのくらい、「やられたらやり返す」ことは正当だと考える人は多いのだ。

なお、このやりすぎの許容には「他人を巻き込む」が含まれないことが多いのには注目するべきだろう。一対一の復讐劇なら容認する人が、罪なき人を巻き込むと一転して「許されない」になりがちだ。シンプルなリベンジストーリーではなく、悩み、迷い、罪悪感を背負いながら復讐するタイプの話ならこのあたりは見逃せない。

また、リベンジの物語はたいてい「マイナスからのスタート」になることも重要なポイントだ。奪われ、傷つき、追い詰められ、そこからの逆襲劇となれば、あとはもう上がるだけだ。何もない状態、あるいは既に恵まれている状態よりも、ハンデを背負っている状態のほうが、そこから這い上がっていくさまを勢いよく、そして格好良く描けるのは当然である。

・ワーク課題

次ページのシートに、復讐の動機、奪われたもの、復讐ターゲットとの関係、復讐の中で得たり失ったりするもの、復讐の結果を書き込む。

アイデアジェネレーターのカードは「復讐の動機」を決めるのが一番分かりやすいが、結末についても引くことでシンプルになりすぎない復讐劇を描くようもっていくこともできる。

解答例①

動機：兄の仇を討つ
奪われたもの：代々伝えてきた秘技書
対象との関係：もう一人の兄
得るもの失うもの：対象と戦う中で技が磨かれる
結果：

真相が明らかになる。実は殺されたほうの兄こそが秘技書を持ち出して悪の用途に使おうとしていた。対象は罪滅ぼしのために主人公と戦った

解答例②

動機：焼かれた村の復讐をする
奪われたもの：幸せな生活
対象との関係：村を襲った怪物
得るもの失うもの：怪物を倒してその力を得る
結果：

怪物に殺されかけたが逆に倒し、その肉を食らって怪物の力を得る。そのせいで普通の人間ではなくなり、復讐が終わったあとも放浪することになる

奪われたもの：
傷からこぼれた血。形ある何かか、
形のない何かか

得たもの、失われたもの：
復讐の炎は力にも傷にもなる

復讐の結末：
満足を得たか、虚しいばかりか。
許しはあったのか

ワーク⑨リベンジ

タイトル：

メモ：
テーマ、アイデア、ジェネレーターで
引いたカードなどを記載

復讐の動機：
なぜ復讐するに至ったか。
そこに何があったのか

ターゲット：
復讐の刃が狙うのは何者か

TOPIC

10：「秘密」の物語

物語にインパクトを！

物語に「驚き」を仕込もう、どんでん返しを効果的に使おう、と考えた時、一つ分かりやすいのは「秘密」を設定することだ。

つまり、

「このキャラクターはこういう立場、能力、性格、動機だよ」

「この組織はこういう雰囲気で、こういう目的だよ」

などと、登場時（主要なキャラクターや組織なら起承転結の「起」の時点だろう）に語っているであろうこれらの設定の裏に、別の設定を隠しておく、ということである。

これを然るべきタイミングで開示し、

「実はこうだったんだ！」

「お前（主人公、あるいは読者）は騙されていたんだよ！」

とすることで物語の状況・方向性は大きく変わるし、読者に強烈なショックを与えることもできる。起承転結の「転」の最も典型的な形と言えるだろう。

そのためにはどうしたらいいのか。

第一には、（物語の主要要素になるような）秘密はショッキングなものであってほしい、ということだ。そのためには表に明かされていた情報と正反対である必要がある。正義と思えば悪、男と思えば女、利己と思えば利他。この発想には、「あり得ない」の発想法が有用であろう。

第二には、あまり唐突な秘密の開示は不自然・ご都合主義に見えるということがある。何も説明なしに「実はこうだったんだよ」と言われても驚くより前にポカーンとしてしまうことが多い。

そこで、主人公や読者をそのキャラクターや組織にしっかり馴染ませておく必要があるし、一方で「何か秘密があるかもしれない」伏線も適宜張っていく必要がある（露骨になると興ざめなので加減が難しいのだが）。

また、これは実際に作品を作る際の心構えなのだが、どのキャラクターがどんな秘密を持っているのかは常に把握しておかないと矛盾した描写をしてしまう可能性が高い。各キャラクターの重要な設定（目的など）を一覧表にし、その中に秘密の情報も分かるようにしておいたほうがいいだろう。

ただその一方で秘密のような情報は「あとで整合性が出るように描写を変えればいい」と考えることもできる。発表前なら作品はいくらでも書き換えることができるのだ。このあたり、あまり考えすぎないほうがいいかもしれない。

・ワーク課題

次ページのシートに、表向きの設定、隠された秘密、主人公あるいは主要キャラクターとの関係、そしてそれらから連想される大まかなあらすじを書き込む。

アイデアジェネレーターのカードは「表」と「秘密」の両方、あるいは片方を引いてヒントを得ると良い。

解答例①

表向き：

探偵である主人公の助手

秘密：

殺人事件の犯人。犯行をカモフラージュするため、主人公を誘導して事件の現場に導いた

関係：

本来の助手は主人公と長年の付き合い。犯人は助手を誘拐し、変装してなりすましている

解答例②

表向き：

悪と戦うヒーロー集団

秘密：

悪の組織と馴れ合っている。実はこの戦いは「真の悪が出てくるまでの訓練」でやっているというさらなる秘密がある

関係：

主人公は新入りヒーローで、秘密は知らなかった

大まかなあらすじ：

秘密を生かす物語とはどんなものか

ワーク⑩秘密

タイトル：

メモ：
テーマ、アイデア、ジェネレーターで
引いたカードなどを記載

名前：

表の顔：
最初に明かされるもの

秘密：
隠された顔

主人公との関係：

この見開きと次の見開きをコピーし、カードをはさみなどで切り離してください。そのままカードとして使ってもいいのですが、厚紙に貼り付けた上で切り離したり、トレーディングカード用のスリーブに入れたりすると使いやすくなります。

感化
影響を与えあい、
変わっていく

情愛
炎のように焦がし、
水のように癒やす

祝福
穏やかな光と
ファンファーレ

誠意
誠の心は
きっと通じるはず

信仰
信じるものよ、救われよ

終焉
いつかは訪れるものと
知っていた

転変
すべては変わる、
否応無く

統率
衆の力は長がおればこそ

守護
何から守るのか、
なんで守るのか

憤怒
目をくらます心は
何へ向かうか

堕落
どこまでも落ちていく

再生
灰になっても
終わりではない

闘争
戦いの中で
見えるものはあるか

封印
閉じ込めよ、眠らせよ

覚醒
目覚めよと呼ぶ声あり

名誉
高くかかげよ、
己を支えるものを

悲哀
心の氷、目には涙

疾走

どこまでも、どこへでも

知性

知ること、考えること、
分かること

停滞

いつまでとどまって
いればいいものか

喜楽

踊りたくなる心持ち

混沌

すべてが放り込まれた
坩堝《るつぼ》のなか

融合

そして一つになる

創生

さあ、ここから
すべてが始まる

規律

秩序がすべてを
縛って整える

信念

槍のごとく貫くものよ

正義
胸を張れ、顔を上げろ、
前へ進め

破壊
何もかも砕いてしまい
たくなる時がある

奪取
欲しいものを奪って
何が悪いのだ

邪悪
闇に隠れ、ひそかに笑い、
引き摺り下ろせ

呪怨
暗い炎、湿った気配、
腐ったにおい

苦痛
時に、傷よりも人の
動きを縛る

自由
誰にも私を止められない。
私自身さえ

喪失
手の内からこぼれて
いくものあり

空白
何を書いても良い。
書かなくとも良い

おわりに

このページを開いたあなたは、本書を通して読まれたのだろうか。それとも、とりあえず気になるところだけ開いてみよう……ということでこのページにたどり着かれたのであろうか。

どちらにせよ、あなたが「プロのクリエイターになりたい」「創作力を養いたい」と考え、そのために発想力を鍛えることを望んでいるのであれば、本書との付き合いはここに至っておしまい、ということにはならないはずだ。

テクニックは学んだだけでは身につかない。頭の中にあるテクニックはただの知識・情報だ。これを実践し、場合によってはカスタマイズし、自分にとって適切なものにしていなければ意味がない……これは創作だけでなく、ありとあらゆる分野において言えることだ。

ただ、本書のテーマである「発想」「アイデア」ということになると、その意味合いはさらに大きくなる。どういうことか。

つまり、本書でも触れたが、アイデアの発想はインプットとアウトプットを車輪のように繰り返すことでよりなめらかに、スピーディーに、そして豊かに行えるようになる。また「アイデアを考えなければならない」と意識すると、「そのためには常日頃から情報を取り込む必要がある（そうでないとネタ切れになる！）」となり、情報のインプットにも気を配れるようになるわけだ。

本書を読んで終わりにするのではなく、本書のシートやワークを活用しながら実践を繰り返さなければ、このような好循環を生み出すことはできない。

もちろん、アイデアは溜め込むだけでは意味がない。それを実際に物語へ作り上げなければアイデアは腐るし、また「大まかなテーマは作れるけどそれを実現するための細やかなエピソード発想ができない」ということにもなりがちだ。ただ、そのようなさらなる実践にたどり着くためにも、まずは本書を活用して榎本メソッドを学び、アイデア発想の実践を繰り返してほしいのである。

最後に、私と榎本事務所の活動を紹介して本書の締めとしたい。

我々は本書の他にも役立つ書籍の制作、また情報発信などを行っている。本書ではアイデアに注目したが、創作全般について基礎から丁寧に紹介したものから個別の用途に合わせたものまでさまざまだ。皆さんの目的に合わせてご活用いただければと思う。

なお、DBジャパンさまからの展開としては、『物語づくりのための黄金パターン』シリーズとして、「現実に起こりうるトラブルやアクシデントとその対応」をまとめることで、リアルな物語にも現実離れした展開にも役に立つ『トラブル＆対応編』を出したいと考えている。

書籍にせよ、サービスや専門学校などでの活動にせよ、最新情報は弊社公式サイトで随時告知している。ぜひ「榎本事務所」で検索していただきたい。特に、「榎本メソッド小説講座 -Online-」というウェブサイトでのサービスは、皆さんの能力や事情に合わせたさまざまな講座を展開させていただいている。一度ご確認いただければありがたい。

榎本秋

主要参考文献一覧

・『日本大百科全書（ニッポニカ）』（小学館）
・『改訂新版 世界大百科事典』（平凡社）
・『アイデア発想法16どんなとき、どの方法を使うか』矢野経済研究所未来企画室（CCCメディアハウス）
・『新編創造力事典 日本人の創造力を開発する 創造技法 主要88技法を全網羅！』高橋誠（日科技連出版社）
・『創造力の不思議 アイデアは脳のどこからやってくるのか』アルベルト・オリヴェリオ（創元社）
・『0から1の発想術』大前研一（小学館）
・『発想法の使い方』加藤昌治（日本経済新聞出版社）
・『物語の法則 強い物語とキャラを作れるハリウッド式創作術』クリストファー・ボグラー、デイビッド・マッケナ（アスキー・メディアワークス）

オリジナルストーリーがどんどん思いつく！
物語づくりのためのアイデア発想メソッド

2024年3月15日　第1刷発行

編著者	榎本秋
著者	榎本海月・榎本事務所
発行者	道家佳織
編集・発行	株式会社DBジャパン 〒151-0073 東京都渋谷区笹塚1-52-6 千葉ビル1001号室
電話	03-6304-2431
ファックス	03-6369-3686
e-mail	books@db-japan.co.jp
装丁・DTP	菅沼由香里（榎本事務所）
印刷・製本	大日本法令印刷株式会社
編集協力	鳥居彩音（榎本事務所）

ISBN978-4-86140-400-9
Printed in Japan 2024

※本書は2019年12月24日に株式会社秀和システムより刊行された『ストーリー創作のためのアイデア・コンセプトの考え方』を底本に、改訂を行なったものです。